CXPO

엑스포 아카이브 1
부족하면 부족한 대로,
대구에서 UX 디자인하기

EXPo Archive 1

Not Enough, However, Let's Design UX in Daegu

엑스포 아카이브 1
부족하면 부족한 대로, 대구에서 UX 디자인하기

지은이 장순규, 권민지, 이한나

발 행 2024년 1월 20일
펴낸이 한건희
펴낸곳 주식회사 부크크
출판사등록 2014.07.15.(제2014-16호)
주 소 서울특별시 금천구 가산디지털1로 119 SK트윈타워 A동 305호
전 화 1670-8316
이메일 info@bookk.co.kr

ISBN 979-11-410-6503-4

www.bookk.co.kr

엑스포 아카이브 1
부족하면 부족한 대로, 대구에서 UX 디자인하기

장순규 Jang, Soonkyu
권민지 Kwon, Minji
이한나 Yi, Hanna

BOOKK✏

목차

엑스포에 대하여
대구·경북 UX 디자인
대학 연합 동아리

계명대학교 미술대학 시각디자인전공, 세움
Founder. Dept. Visual communication design,
College of fine arts, Keimyung university

소개

엑스포는 사용자 경험(User eXperience) 디자인을 공부하는
대구·경북권의 대학생이 모여 설립한 배움의 모임입니다.
엑스포는 경험을 뜻하는 EXP와 무엇이든 답이 될 수 있다는
O를 조합하여 이름 지었습니다.

세계 박람회로 유명한 엑스포처럼, 여러 학교와 전공의
학생이 모여서 사용자 경험을 배우고 발표하는 정기적인
실험의 장이 되고자 노력하고 있습니다. 따라서 엑스포는
학생들의 자발적인 참여로 구성됩니다. 따라서 사용자
경험을 배우고자 하는 학생과 더 발전하고자 다양성을
존중하는 학생으로 구성된 팀 프로젝트를 지향하고 있습니다.

각각의 대학과 디자인 전공에서 배우는 사용자 경험의
커리큘럼과 교육 내용에는 다소 차이가 있습니다. 이 때문에

엑스포는 서로 다른 지식과 경험이 만나 예상하지 못한 발전이 우리를 이끌도록 바라고 있습니다. 이를 위해 엑스포는 학생 이기 때문에 실패해도 경험이 될 수 있는 장점을 힘껏 살려 실험 정신, 탐구 생활을 바탕으로 기존에 없는 컨셉과 서비스를 재미있게 포장하고 전달하고자 합니다.

이는 수도권에 밀집한 많은 IT 기업들의 상황으로 인해서 대구·경북권 대학생은 수도권의 학생보다 실무의 간접 체험을 할 기회가 다소 불리하다는 점을 인식하고 있기 때문입니다. 이 때문에 완벽하고 깊이감이 있으며 높은 완성도의 디자인에 멋짐과 달리, 부족하면 부족한 대로 매력이 있는 사용자 경험 디자인을 지향합니다.

엑스포에 참여한 학생들은 서로 다른 대학, 다른 전공, 다른 학년일지라도 사용자 경험 디자인 전문가가 되기 위한 공동의 목표로 만나 경쟁하고, 배우며, 더욱 빠르게 성장할 수 있는 시간이 되길 바랍니다.

시간의 밀도가 누구보다 꽉 찬 1년을 보낸 엑스포는 60명이 넘는 학생들이 오가며 프로젝트를 진행했습니다. 계명대학교 시각디자인전공이 세웠지만 영남대학교 시각디자인과 산업 디자인, 홍익대학교 세종캠퍼스와 동국대학교 경주캠퍼스의 학생이 참여하며 알찬 시간을 보낼 수 있었습니다.

진행한 프로젝트 중에는 국내외 공모전에서 수상을 하고 디자인 학회 학술대회에서 발표하는 프로젝트도 있었습니다. 이처럼 우리는 부족하면 부족한 대로 나아가고 있습니다.

8

따라서 우리는 사용자 경험 디자이너가 되기 위해 가장 빠른 정답을 찾는 모임이 아니라, 우리만의 사용자 경험 디자인을 위한 해답을 찾아가는 모임이 되고자 합니다.

중요한 것은 성장의 빠르기보다 올바른 길로 가며 다소 늦더라도 성장의 최대치까지 가는 것입니다. 엑스포는 우리만의 사용자 경험을 이야기할 수 있는 재미있는 일상의 소재를 바탕으로 서비스와 경험을 만들어 갑니다.

노력과 흔적

인스타그램 @uxd.expo
비헨스 https://www.behance.net/expodaegu

들어가며
대구, UX, 그리고
프로덕트 디자인
장순규 Jang, Soonkyu @312lab

계명대학교 미술대학 시각디자인전공 조교수 <조언자>
Assistant Professor. Dept. Visual communication design,
College of fine arts, Keimyung university <Advisor>

대구에 도착해서

여름은 어느 도시보다 덥고, 어디에서나 산이 보이는 도시.
대한민국의 네 번째로 큰 광역시이자 경상북도의 중심도시.
바로 대구광역시다. 대구는 섬유와 기계 산업을 비롯해 1차
산업과 2차 산업의 비중이 큰 도시다. 최근에는 대도시형 산업
구조 형태로 변화하며 서비스 중심의 3차 산업 비중이 점차
늘어나고 있다. 이 때문에 디지털, 의료, 문화, 관광 등
서비스 산업 육성 정책이 요구되고 있는 중이다.[1]

이러한 대구의 또 다른 모습으로 교육도시가 있다. 근대 계몽
운동의 필수영역으로 학교 설립과 교육 확대가 있다. 대구는
계몽운동 시대에 대한제국 정부와 신지식층의 협력으로 근대
교육기관 설립과 천주교와 개신교 기반의 학교 설립을 추진

하며 교육방식을 빠르게 변화한 도시이다. 현재에도 대학과 연구중심의 도시 브랜딩을 위해, 대구의 DGIST(대구경북과학기술원)와 경북대, 계명대, 델라웨어대학교 등이 모인 대구경북 연구센터인 대구테크노폴리스를 구축하고 있다.

이 뿐만 아니라, 교육지원사업에 43억 원을 투입하며 대구 북구는 글로벌 교육도시로서 사업을 진행하고 있으며, 교육환경개선 및 퀄리티 높은 교육 서비스를 제공하는 도시로 도약하고자 노력하고 있다.[2] 그럼에도 지금 우리는 대구를 산업과 교육의 도시라 말할 수 있을까.

산업적으로 가장 크게 성장하고 있는 온라인 플랫폼 기반 벤처 사업과 대구는 크게 연결고리가 없다. 물론 큰 게임 회사가 있다고 하지만, 서울과 판교에 밀집한 여러 기업과 스타트업에 비하면 대구는 불모지에 가까운 상황이 아닐까 싶다. 더하여, 서울과 수도권으로 인프라가 집중되며, 비수도권대학은 소멸위기 상황에 놓여있다. 이러한 현 상황에 대구의 정체성은 무엇으로 이야기할 수 있을까.

<u>지방에서 UX 디자인 공부하는 아쉬운 점</u>

과거에는 지식과 경험을 쌓기 위해서 직접 체험을 하는 것이 중요했으나, 현대 사회에서는 인터넷을 통해서 간접 경험과 빠른 지식 검색이 가능해진 사회가 되었다. 하버드 대학의 음악전공 교수는 지식을 습득하고 기억하는 시대에서 어떻게 응용하고 활용할지가 더욱 중요한 시대가 되었다고

했다. 이는 세계 여러 지역의 음악과 시대 별 음악을 찾고 듣는 데 있어, 정보를 찾고 음악을 작곡하는 것이 과거보다 쉬워졌기 때문이다.[3]

이처럼 현대 사회는 온라인에 파편화된 지식과 정보를 모아 기존과 다른 관점으로 발상하고 생각을 전환하는 것이 보다 중요해지는 시대라 할 수 있다. 그럼에도 불구하고 아직까지 한국은 발상과 생각의 전환보다 암기 중심 교육이 시대의 패러다임을 잡고 있다. 디자인 전공에서 암기 중심의 교육은 어떻게 봐야 할까. 명확한 지식과 정보를 암기하는 것이 중요한 영역도 있을 것이다. 하지만 디자이너라면 기존의 틀을 부수는 것이 중요한 분야가 아니던가.

즉, 디자이너라면 같지만 같지 않다고 볼 수 있는 관점과 이를 추론하고 증명하는 능력이 중요할 것이다. 특히 디자인 분야에서 마케팅, 심리, 인지 공학 등 다양한 분야가 융합된 경험 디자인 분야에서는 위 능력이 보다 중요하게 작용할 것이다. 이는 한 사람이 여러 전공 분야의 지식을 완벽하게 이해하는 것보다, 여러 분야의 전공 지식과 정보를 어떻게 융합해서 기존과 다른 관점을 제시하고 이를 이끌어가는 지가 중요하기 때문이다.

<u>도래하는 프로덕트 디자인의 시대</u>

최근 UX(사용자 경험, user experience) 디자인 분야도 변화가 일어나기 시작했다. 과거 인터페이스를 만들기 위한

지식과 정보, 앱의 온보딩부터 모든 태스크 과정에 해당하는
정보 위계질서(information architecture)를 그리고 관련
인터페이스 화면을 모두 디자인하는 방식으로 디자인을
해왔을 것이다.

이는 과거에 스마트폰 점유율이 높아지며, 다양한 서비스가
등장했고, 사용자와 만날 접점의 앱(app)이 만들어지던 시기
이기 때문이다. 하지만 현재는 웬만한 서비스의 앱이 다 구성
되어 있다. 이 때문에 그래픽 요소가 변하거나, 아니면 기존
앱을 바탕으로 태스크 과정이 쉽게 흘러가도록 특정 부분을
수정 및 보완하는 디자인을 중심으로 돌아가기 시작했다.

온라인 플랫폼 기업은 업데이트를 통해 앱의 구조를 쉽게
변화할 수 있고, 이에 서비스도 빠르게 보완할 수 있다. 이
때문에 어느 기업이 더 빠르게 나은 경험을 제시하고, 고객을
유치하는지가 중요하다. 그래서 이미 잘 돌아가는 서비스에서
보다 나은 경험을 유발하기 위해서, 서비스의 여러 파편화된
정보 위계질서 부분에서 특정 부분에 변화에 집중한다. 또는
새로운 서비스를 제시하더라도, 동일한 브랜드 경험을 유발
하기 위해, 가능한 기존 앱의 디자인 시스템을 바탕으로
신규 앱을 구축하기도 한다.

이러한 시대적 흐름에 따라, 완벽히 분석하고 공부하고 암기
하며 상황을 바라 보기보다, 빠르게 상황에 대응하고 변화에
유연한 능력이 중요해진 것이 아닐까. 이 때문에 온라인
서비스를 하나의 상품으로써 바라보며, 변화가 필요한 이유와
더 나은 경험이 유발될 것이라는 추론, 그리고 추론을 바탕

으로 한 콘셉트를 증명할 수 있는 검증을 빠르게 할 수 있는 능력이 필요한 시대가 되었다.

이러한 시대의 흐름에 따라 UX 디자이너에게 서비스 기획과 UI 디자인 능력을 요구하게 되었고, 이를 검증하는 업무까지 맡기기 시작했다. 이는 이쁘게만 만드는 UI 디자인과 검증되지 않을 콘셉트만 제시하는 기획자는 서비스를 더 나은 경험을 유발하는 방향으로 이끌지 못하기 때문이다. 이에 기업은 사용자를 깊이 이해하는 UX 디자이너에게 표현력과 기획력을 요구하며 이를 프로덕트 디자이너라 부르고 있다.[4]

최근 온라인 플랫폼 중심 기업의 채용 공고에서 더 나은 경험을 유발하기 위한 디자인의 변화와 이를 정량, 정성 분석을 통해 증명한 결과를 제출하라 제시했다. 이를 통해, 더 나은 사용자 경험을 유발하기 위한 변화의 필요성에 대한 추론과 디자인 표현, 그리고 이를 검증하는 능력이 동시에 필요하다. 이는 요즘 시대가 바라는 디자이너 인재의 필요 능력이 아닐까.

업계와 학계 사이에서

업계는 언제나 그렇듯 학계보다 빠르게 변화하고 있다. 이에 학계는 업계에서 즉각 활용될 디자인 능력을 중심으로 인재를 양성하고 있으나 업계의 변화 속도를 따라가기 어려운 현황 이다.[5] 이제 업계의 디자이너는 실무와 관련한 대학 교육이 부족 하다 제시하고 있다.[6]

최근 UX 디자인에서 프로덕트 디자인이 중시되고 있다. 이러한 변화에 현재 학계는 잘 대응하고 있을까. 더 나아가 온라인 플랫폼 업계가 주로 서울에 밀집한 상황에서, 대구에서 UX 디자인과 프로덕트 디자인을 공부하려면 어떻게 해야 할까. 학계가 업계의 변화보다 느린 만큼, 프로덕트 디자이너 채용에 맞는 최적화된 방식으로 전문가 양성의 교육과 트레이닝 방식이 적용된다면! 근대 계몽운동 시대의 대구와 같이, UX와 프로덕트 디자인 전문가 양성에 최적화된 합리적인 방향이 될까.

나의 학창 시절에 전국의 여러 동아리 중, 홍익대학교 서울 캠퍼스 편집 동아리 활동이 정리되면 나오는 책을 보았다. 부럽기도 하고, 동기부여가 되는 추억이다. 이에 함께 대구에서 변화를 일으키고, UX 디자이너로서 성장하며 빛나는 프로젝트의 과정을 책으로 정리하고자 한다.

이 프로젝트는 대구와 경북권에서 일생을 보내온 UX 디자인 전문가가 되고자 하는 학생들과 수도권에서 살아오며 대구로 내려온 UX 디자인 전문가가 만든 이야기이다. UX와 프로덕트 디자인을 공부하고자 하는 데, 수도권보다 인턴의 기회나 인프라가 부족하면 부족한 대로 우당탕탕 나아가는 과정을 다룬다. 함께 성장하고, 경쟁하며, 전국에서 충분히 통할 수 있는 디자이너가 되기 위한 2년의 과정을 정리했다.

이를 통해 누구든 할 수 있고, 실패해도 배움이 있을 빛나는 청춘에 도움이 될 수 있기를 바라며!

첫째,
UX 디자이너로 첫걸음

우당탕탕 시작한 UX 디자인 스터디 소모임
계획된 우연처럼 시작하게 된 스터디와 도전

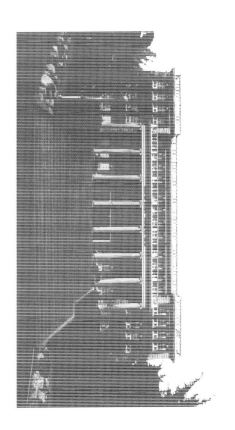

갑작스러운 출발
UX 디자인 한번 해볼래?

2022년 5월 2주차
경일대학교 UI 디자인 특강에 들리고
돌아오는 명덕역 치킨 집에서

UX 디자인의 불모지

언제나 3월은 바삐 돌아간다. 신입생부터 재학생, 복학생까지.
시작하는 첫 학기에 시작되는 오리엔테이션과 수강 정정, 그리고
방학 때 쉬다 다시 시작되는 과제 지옥. 코로나 팬데믹으로
비대면 수업에 익숙해지던 찰나, 다시 학교로 돌아오게 되는
2022년은 누군가에게 새롭고, 누군가는 익숙하며, 다시 세상이
제자리로 돌아가는 것처럼 느껴지던 해였다.

동기와 선후배가 만나 이야기를 나누게 되다 보니 카톡으로만
대화하던 때와는 사뭇 다른 느낌이다. 얼굴을 마주 보고 대화하
는 중에 대부분 질문은 방학 때 무엇을 했는 지다. 디자인
전공의 특성으로 선택하게 될 직업의 방향이 많다 보니 방학 때
무엇을 했는지 묻는 것은 흔한 주제일 것이다.

이 주제 중에 하나가 있다면 UX 디자인일 것이다. 최근에는
시각디자인과 산업디자인 전공 모두 다 UX 디자인 수업을
개설한 사례가 많다. 거기에 UX 디자인을 한다는 전문가를

보면 분야가 너무 다양하다. 디자인 출신부터 공대생, 심리학 전공생, 마케터 등. 그렇다 보니 무엇부터 공부해야 하며, 포트폴리오는 어떻게 만들어야 할지. 디자인 전공생으로 꽤나 답을 찾기에 난감하며 어려운 분야가 아닐까.

특히나 대구에서 UX를 공부하는 것은 쉽지 않다. 대학의 전공 강의에서 기본 이론과 디자인을 하는 방법을 배웠으나, 실전에서 UX 디자인을 체험할 회사나 기회가 마땅치 않기 때문이다. UX 디자인은 말 그래도 사용자 경험을 디자인하는 만큼, 주로 IT 기업에서 필요로 하는 전문 인력이다. 하지만 현재 대구·경북 에서 UX 디자이너가 필요한 IT 기업과 스타트업의 수는 많지 않다. 즉 수요보다 공급이 많은 상황이다.

수도권에 밀집한 IT 기업과 스타트업은 급한 일정과 상황에 따라 인턴과 아르바이트를 할 학생을 찾는 일이 잦다. 또한 대기업이나 네카라쿠배당토[7] 같이 이름이 널리 퍼진 온라인 플랫폼 기업은 자사에 맞는 인재를 채용하기 위해서 전문가 양성 프로그램을 운영하기도 한다. 이는 IT 기업에서 인재를 채용하기 어려움(63.2%)을 겪고 있기 때문에,[8] 직접 전문가를 양성하고 직접 채용하기 위해 운영하는 프로그램이다.

마치 축구, 야구 프로구단에서 유망주와 계약하고, 이들을 양성 하며 프로 계약을 우선 지명하는 시스템과 같다. 프로구단은 유망주를 키우고 계약하는 시스템을 마치 농장의 작물이 자라는 것과 같다는 의미에서 팜(farm)이라 한다. 축구로 유명한 FC 바르셀로나도 농장을 의미하는 라 마시아(La Masia)라 부르고 있다. 어찌 보면 UX 디자인 업계도 동일한 상황이다.

하지만 UX 디자이너가 필요한 대부분의 기업은 서울과 판교에 집중되어 있다. 이 때문에 수도권이 아닌 지역의 대학생은 UX 디자이너로 성장하는 데 있어 다소 한계가 있다.[9] 이는 실무의 간접체험하기 위한 인턴과 위 프로그램을 하기 위해서는 지방과 수도권을 오가야 하기 때문이다. 비용, 시간을 고려하면 생각처럼 쉬운 일은 아닐 것이다.

이 때문에 대구에서 UX 디자인을 공부하고 전문가로 성장하는 과정은 다소 쉽지만은 않을 것이다.

<u>경산으로 오가는 길</u>

2022년 5월, 경상북도 경산시에 있는 대학교에 UI 디자인 특강 일정이 생겼다. UX 디자인에 관심이 있는 학생들 중에 일정에 여유가 있는 학생 5명과 함께 이동하였다. 이동하는 1시간 정도 시간 동안 UX 디자인에 대한 생각과 이야기를 들을 수 있는 시간이었다. 회사든, 학교든 안에서 이야기하면 경직될 수밖에 없을 것이다. 확실히 밖에서 이야기를 하는 만큼 가볍고, 개인의 생각과 고민을 편히 이야기할 수 있었다.

이야기 중 가장 많이 나온 주제는 무엇을 해야 할지 모르겠다는 이야기다. 2, 3학년 시점에서 무엇을 할지 모르겠다는 것은 당연한 이야기다. 디자인 전공에 놓인 직업은 무수하다. 무슨 직업을 선택하고 공부하고 결정하기란 쉬운 일이 아니다. UX 디자인도 그중 하나다. 대구에 IT 기업이 부족하니 UX 디자인에 대한 정보를 얻기도 쉽지 않고. 학교에서 공부를 했는데 어디서 어떻게 쓰여야 할지 고민이 되고.

UI 디자인 특강이 끝나고 다시 대구 시내로 돌아오는 길에 함께 조촐한 치킨을 먹으며 이야기를 이어갔다. 열정은 있으나 무엇을 할지 모른다. 이는 효율적이고 합리적인 길을 알지 못한다는 말이다. 왜 우리는 과외를 받을까. 답을 찾기 위해서 여러 차례 시도를 하지 않고도 최선의 길과 방법을 배울 수 있기 때문이다.

선생(先生)이란 말 그대로 먼저 태어난 사람이다. 우리는 선생의 본연의 해석보다 스승으로 이해하고 부른다. 선생의 뜻과 본질 그대로 보면, 먼저 태어난 사람이 세상의 여러 지혜와 지식이 쌓인 만큼 여러 차례 헛된 시도를 하지 않아도 되는 방향을 알려주는 사람이라 봐야 하지 않을까. 영어로 선생인 teacher도 가르친다는 teach에서 파생된 단어다.

IT 기업에서 제공하는 인턴과 전문가 양성 프로그램에 참여하기 쉬운 상황이 아니라면, 우리가 직접 실험하고, 디자인하며, 도전하면 되지 않을까. 아는 정보가 없어 우당탕탕 나아가도 되지만, 먼저 디자인을 경험한 선생이 있다면 조금은 합리적이고 쉬운 방법으로, 마치 UX 디자인 일타강사의 수업처럼 되지 않을까.

"마 함 해 보입시더"

한국 야구의 레전드 최동원이 한국 시리즈 최종전에 부상으로 인해 투수진이 없는 상황에서, 1차 3차 5차 6차 7차까지 혹사를 하며 나가야 하는 상황에 던진 문장이다. 그렇다. 잘되면 경력

안 되면 이력이다. 두려울 것이 무엇이냐. 함 해 보면 되는 것인데. 부족하면 부족한 대로, 앞으로 나아가면 무엇이든 성장하는데 도움이 되지 않던가. 두려울 것이 무엇인가.

한국이 월드컵 아시아 예선전에선 깡패 같아도, 월드컵 본선에 가면 움츠리고 압박하며 수비를 열심히 한다. 즉, 우리도 우리만의 길이 있을 것이다. 항상 같아야 할 법이 있던가. 대구에서 UX 디자인을 공부한다면, 대구에서 충분히 빛날 UX 디자이너로 성장하는 방법을 만들면 된다. 그렇게 UX 디자인을 공부하는 소모임이 시작되었다.

인연은 우연이 완성된다

모든 일은 우연에서 시작된다는 문장이 있다. 우리 일상에는 의도를 했으나 의도하지 않은 방향으로 풀리는 일이 더러 있다. 행운도 노력하는 자가 쟁취한다는 것처럼, 우연은 가만히 있는다 오는 것은 아닐 것이다. UX 디자이너로 성장하기 위해 스터디를 시작한 것도 그 자리에 있던 학생도 모두 우연인 듯 우연이 아닌 상황이 아니었을까.

UX 스터디를 시작한 만큼 무언가는 해야 한다. 목표가 없으면 사람은 생각처럼 행동하지 않게 된다. 그래서 하나의 목표를 잡아보았다. 바로 좋은 프로젝트를 만들어 보기다. 유망한 디자이너로 스스로를 브랜딩 하기 좋은 방법은 과제를 묶어 포트폴리오를 구성하는 것보다 직접 재미난 프로젝트를 만들고 디자인을 하여 정리하는 포트폴리오를 보이는 일이다.

재미난 프로젝트를 위해서 디자인을 하려면 동기부여가 필요
하다. 과제는 학점이 있으니까 열심히 해야 한다는 마음을
가진다. 이처럼 어딘가 우리 프로젝트를 제출해야 한다는
일정과 목표가 생기면 그래도 끝까지 디자인을 할 수 있지
않을까. 이 목표를 위해서 하나의 틀을 세웠다.

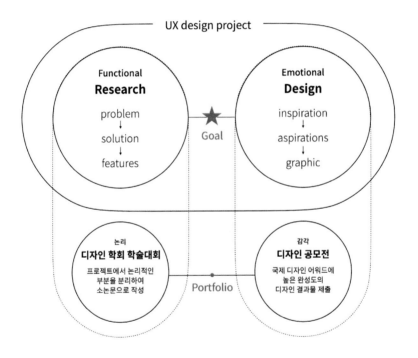

UX 디자인 프로젝트는 논리적 사고의 추론이 중심이 되는
이성적인 리서치 영역과 시각적 표현이 중심이 되는 감각
적인 디자인 영역이다. 대표적인 디자인 프로세스인 더블
다이아몬드 단계를 봐도 초기 단계는 리서치, 후기 단계는

디자인 작업으로 분리되어 있다. 이러한 상황을 바탕으로 우리는 디자인 프로젝트를 2가지 방향으로 구분하였다. 첫째는 리서치 중심의 결과물을 디자인 학술대회에 논문을 발표하는 것이고, 둘째는 디자인 중심 결과물을 국제 디자인 공모전에 제출하는 것이다.

하나의 프로젝트를 두 가지 방향으로 제출하자고 한 것은 현재 기업이 잘 갖춰진 서비스를 개선하여 비즈니스에 도움이 되는 사용자 경험에 집중하는 프로덕트 디자이너를 채용하는 데 집중하기 때문이다. 위 프로덕트 디자인은 논리적 사고와 검증을 중요한 능력으로 제시하고 있다.

최근 네카라쿠배당토에서 신입 프로덕트 디자인 채용 공고를 확인하면, 포트폴리오 제출에 사용자 경험을 개선하여 더 나아진 사례의 프로젝트 2건 중 정량, 정성 검증을 한 내용이 포함되어 있어야 한다고 제시했다. 여기에 최적화된 포트폴리오와 공부가 될 목표는 디자인 학회의 학술대회일 것이다. 이는 논문에서는 디자인 결과물이 옳은지 아닐지 검증을 거쳐야 하기 때문이다.

그리고 공모전은 언제나 그렇듯 학생들이 도전하는 대학 생활의 낭만이자 취업 준비를 할 때 개인 이력과 포트폴리오에 꽃이 되는 활동이기 때문이다.

이러한 계획으로 6명이 모여서 UX 디자인 프로젝트를 시작했다. 함께 경산시로 오갔던 학생과 주변에서 열심히 한다 추천을 받은 학생이 모여서 소모임을 시작했다. 2주 간 우당탕탕, 복작 복작 소모임 계획과 목표가 정해지고 멤버도 구성되었다.

이 모든 것은 우연과 같다. 만일 함께 경산시로 이동하지 않았다면 이야기를 할 기회가 있었을까. 그리고 프로젝트의 목표를 구성한 뒤에 소모임에 다른 학우를 추천하지 않았다면 어떻게 되었을까.

인생의 모든 일에는 계획된 우연(planned happenstance) 효과가 작용한다고 한다. 스탠버드 대학 크럼볼츠 교수는 일이 잘 풀린 사람의 80%는 주어진 현실에 열심히 살던 사람이 우연히 만난 이벤트로 성공하게 되는데, 이를 계획된 우연이라 명명했다.[10] 이처럼 UX 디자인에 대해 공부하고자 노하려는 사람들이 모여 스터디가 시작되었고, 우연처럼 크루가 구성되었다. 계획된 우연이란 이런 것이 아닐까.

방학 기간 동안 스터디
이것 저것 할게 산더미

2022년 7월부터 8월까지
여름방학 동안 하나씩 만들어가는
UX 디자인 프로젝트

그래픽 디자인이 있는데 없습니다

시각디자인을 전공하는 학생 입장에서 UX 디자인을 처음
접하면 이게 디자인 영역인지 아닌지 아리송할 것이다. 그도
그럴 것이 시각디자인 전공자답게 앱(app) 화면인 UI(user
interface)를 디자인한다 건너 들었는데, 문제 인식부터 조사와
해결 방안을 도출하기 위한 여러 방법을 수행하는 과정이 시각
디자인과 관련이 없다 느껴지기 때문일 것이다.

입시생인 시절부터 그림을 열심히 그려서 미대에 왔다. 그런데
추론, 조사, 탐구, 분석이라니. 리서치는 디자인의 영역이 아니라
느껴지는 것이 당연할 것이다. 조금 쉽게 생각하면 리서치는
기획 영역에 속한다고 생각하는 것이 편할 것이다. 디자인은
상업 예술이다. 그렇기 때문에 위로는 투자자나 클라이언트가
있고, 아래로는 서비스를 이용하는 사용자와 고객이 있다.

따라서 디자인은 순전히 아름다운 결과물만으로 설명하기
어려운 영역이다. 클라이언트의 입맛에도 맞춰야 하고, 기업의

디자인 기조(principle)에도 벗어나면 안 되며, 사용자의 시선을
이끌면서 고객의 지갑을 열어야 한다. 따라서 이해관계자 모두가
만족할 수 있는 방향으로 디자인을 이끌어야 한다. 이렇다 보니
마케팅도 심리도 시장 상황과 트렌드까지 다양한 정보와 지식을
바탕으로 디자인을 기획해야 한다. 그렇다 보니 디자이너 개인의
감각적인 부분보다 다수가 공감할 수 있는 방향으로 디자인을
이끌 수 있는 이성적인 면이 필요한 것이다.

그렇기 때문에 UX 디자인 프로젝트에 표현된 그래픽만으로
평가할 수는 없다. 누가 들어도 매력적인 문제 해결이나 신규
서비스를 제안하면서, 트렌드에 벗어나지 않고 프로젝트 내용에
적절한 그래픽 표현을 해야 한다. 그래서 UX 디자인 프로젝트를
처음 기획해 볼 때 느끼게 되는 답답함이 있다. 계획적으로
느껴지기도 하고, 누구나 첫눈에 보고 이해할 수 있는 보편적인
그래픽으로 인한 절제된 표현에 답답하기도 하고.

처음 시작한 UX 디자인 스터디 소모임에서는 도대체 무엇을
해야 하는지 답답하다 생각했을 것이다. 아인슈타인은 상대성
이론을 자신의 할머니가 이해하도록 간결하게 설명하지 못하면
그 이론을 완벽히 이해하는 것이 아니라고 했다. 이처럼 경험과
지식을 누군가에게 쉽게 전달하는 것은 쉬운 일이 아니다. UX
디자인 스터디에서 어떻게 발상하고, 이야기를 만들어야 하는지.
그리고 왜 매끄러운 이야기로 디자인을 이어가야 하는지. 이
모든 것을 쉽게 설명할 수 있었다면 디자인 노벨상 후보감이
아니었을까. 그래도 어떻게든 좋은 프로젝트가 구성되도록
노하우와 경험을 전달하는 입장과 배우고자 하는 학생 입장에서
우리는 그 누구보다 뜨거운 여름을 보냈다.

<u>이야기와 인문학</u>

좋은 프로젝트를 위해서 우선은 사람들이 관심을 가질 수 있는
소재를 찾고자 했다. 개인적으로 소재는 일상에서 찾는 것이
좋다. 이는 남녀노소 모두가 공감하기 쉬운 이야기에 몰입하게
되며 집중할 수 있기 때문이다.

대체로 디자이너는 '특별한' 것을 창조하려고 부단히 애쓰나,
이 특별한 소재가 디자인의 전부는 아니다. 이는 실생활과
동떨어진 환상에 빠진 이야기로 전락할 수 있기 때문이다.
이 때문에 디자이너는 '평범한 것'은 자극을 주지 않는 지루한
것으로 생각하게 된다. 하지만 평범하다는 것은 누구나 공감하고
이해할 수 있는 것으로 절대 지루하지 않다. 진부하지 않게
평범함을 포장해 새로움을 보이는 슈퍼노멀(super normal)이야
말로 디자인의 한 방향이라 할 수 있다.[11]

이처럼 평범함을 진부하지 않고 새롭게 보이기 위해서는
우리가 기존의 것을 다른 관점으로 이야기하고, 미처 생각하지
못한 이야기로 이끄는 '프레임'의 변화가 필요하다. 사람들이
어떠한 현상에 대해서 말하는 것을 그대로 받아들이는 것보다,
내가 직접 겪고 나서 현상을 판단하며 나만의 프레임으로
이야기하는 것이 중요하다. 영어 단어에 savoring은 '현재
순간을 포착하여 마음껏 즐기는' 행위를 뜻한다. 이처럼
어떠한 현상에서 내가 미처 생각하지 못한 프레임으로
이야기를 찾게 된다면 이를 충분히 즐길 수 있게 된다.[12]

여기서 이야기를 자꾸 강조하는 것은 인문학의 기본이 되기

때문이다. 인문학은 자연과학과 다르다. 자연과학은 어떠한 현상을 증명함으로 사실 아니면 거짓으로 판단한다. 하지만 인문학은 추론을 통해 기존에 없는 사실을 정의하여, 이를 증명하기 위해서 끊임없이 생각하며 제안을 한다. 즉, 인문학은 옳고 그름을 정하는 것이 아닌, 사실일지도 모른다는 이야기를 하기 위한 학문일 것이다.

누구나 한 번쯤은 직간접적으로 경험했기 때문에 공감할 수 있는 소재를 다른 시각으로 해석해, 이 생각이 사실일지 모른다는 추론으로 이야기로 UX 디자인 프로젝트의 이야기를 만들면 어떨까.

어찌 보면 리서치의 본 목적은 내가 어떠한 현상을 다르게 본 프레임이 사실일지 모른다는 추론을 위해 하는 방법일지 모른다. 리서치가 무미건조하고 재미없는 일이 아니다. 다만 재미없게 하고 있는 것이다. 따라서, 우리는 누구나 재미있게 느끼고 공감할 수 있는 이야기에서 디자인을 시작하며, 그 이야기를 보다 사실로서 포장하기 위해 리서치를 하는 방법으로 UX 디자인 프로젝트의 이야기를 써 내려갔다.

대구만의 이야기와 주목받는 기술

이야기를 위해 여러 토론을 거쳤다. 그리고 토론에서 건진 주제는 2가지였다. 하나는 대구에서 살아온 대구 사람답게, 가장 대구스러운 경험을 살리는 것이다. 다른 하나는 주목받는 기술 중 하나인 메타버스를 다른 방향으로 살려보는 것이다.

우선 대구만의 이야기부터 시작해 보겠다. 대구 하면 떠오른 문화가 무엇일까. 바로 사투리일 것이다. 경상도에 사투리는 크게는 남과 북으로 갈린다. 그리고 경상북도의 대구 사투리는 같은 경상북도의 포항과 경주, 그리고 다른 도시의 사투리와 또 다르다. 대구 사투리는 대구의 브랜드 경험으로서 충분히 이야기할 수 있는 문화 요소다. 그렇기 때문에 도시 경험에 재미를 줄 수 있는 소재가 되지 않을까.

앞서 UX 디자인은 그래픽만으로 평가할 수 없다고 했다. 이는 인터페이스 안에 그래픽, 모션(motion) 뿐 아니라 정보를 전달하는 수단인 텍스트와 문구(writing)까지 모두 포함되기 때문이다. 그리고 정보 전달 수단에는 소리도 포함된다. 소리는 효과음과 음성과 관련이 있다. 우리는 효과음을 통해 문제가 생겼는지, 태스크 수행이 잘 마무리되었는지, 혹은 카카오톡으로 연락이 왔는지 알 수 있다. 최근 AI 기술이 발전 하면서 사람은 디바이스(device)와 직접 소통하며 기기를 조작할 수 있게 되었다. 여기서 소통은 인간과 디바이스가 서로 말을 하면서 정보를 주고받는 상황을 뜻한다. 이처럼 사용자와 디바이스가 서로 소통하는 인터페이스를 VUI(voice user interface)라고 한다.

대구만의 문화 상징이자 도시 브랜드 요소가 될 수 있는 대구 사투리를 인터페이스에서 정보 전달 수단인 텍스트와 VUI에 활용하면 어떨까. 최근 수도권에서 늘고 있는 키오스크에서 사투리로 정보를 전달하는 상황. 다른 도시 시민이 들었을 때, 사투리를 못 알아들을 수도 있다. 대구가 고향인 사람이 오랜만에 들렸을 때 키오스크에서 대구 사투리가 들린다면.

예상하건대 재미난 경험이 될 것이다. 하지만 어떤 사용성이
좋을지 우리는 모른다. 사투리로 텍스트와 보이스를 구성할지.
아니면 사투리는 틀리고 표준어로 구성하는 것이 옳을지. 또는
텍스트는 표준어인데 보이스는 사투리일지. 궁금하지 않은가.
이 모든 것이 사용자 경험이라 할 수 있으니까 말이다. 키오스크
인터페이스의 화면은 시각디자인 전공자답게 만들면 된다.
하지만 UX 디자인 관점에서 중요한 것은 인터페이스의
아름다움이 아니라, 사투리를 활용한 서비스가 재미있는 경험과
사용성에도 긍정적일 수 있는 것을 확인해야 하는 것이다.
따라서 우리는 가장 나은 방법을 찾고자 했다.

다음으로 메타버스다. 메타버스 하면 다수의 사람이 게임을
즐기고, 혹은 대화를 하는 서비스로서 활용하는 이야기를 먼저
던졌다. 우리는 이를 조금 다르게 바라보기로 했다. 메타버스는
가상공간에서 이뤄지는 서비스를 뜻한다. 즉, 실존하지 않는
환경과 요소들이 있는 공간이다. 그럼에도 사람들은 이를
실질적인 경험처럼 느끼는 경우가 많다. 이는 메타버스에서
구성된 환경과 공간을 보며 사용자가 직접 움직이면, 그 움직임
대로 화면도 움직이다 보니 뇌는 이를 실제 상황이라 착각하게
된다. 이처럼 메타버스는 가상공간이다 보니, 우리는 시공간을
초월해 어디든 이동하고 진짜라 착각하는 경험하게 된다.

그렇다면 어디를 가면 좋을까. 의외로 대구가 광역시라 해도 큰
동물원이 없다고 했다. 그래서 동물원이 있으면 어떨까 했다.
그래서 조사를 하다 보니, 동물원에 있는 동물은 자신이 살아가야
할 환경에서 살지 못하니 심정적으로도 육체적으로도 힘들다고
한다. 그래서 동물권을 보장하기 위해, 세계 여러 동물원은

가능한 동물이 살아가는 환경과 유사하게 장소를 만들고자 노력하고 있다고 한다. 그렇다면 메타버스에 동물원을 구현하면 동물권에 침해가 가지 않는 서비스로 구성할 수 있지 않을까. 그래서 동물이 살아가는 환경에서 동물을 만나보는 메타버스 서비스를 기획하고자 했다. 동물권 보호하기 위해서 말이다.

이렇게 이야기를 구성하고, 우리의 추론을 보완하기 위해서 조사를 시작했다. 사투리의 문화적 측면의 장단점, 사람에게 미치는 효과. 동물권 보호를 위한 노력과 메타버스가 사람에게 미치는 영향. 하나씩 조사하며 이야기를 빌드업 하노라니 2달의 시간이 눈 깜짝할 사이에 끝나버렸다. 그렇게 소모임의 여름은 끝났다.

전국을 향해 도전하기
우리만의 방식으로

2022년 9월부터 10월까지
급작스레 시작한
대기업 디자이너 양성 프로그램 도전과
학술대회 준비와 발표 과정

갑자기

9월이 되었다. 개강을 했다. 진행하던 UX 디자인 프로젝트를
마무리해야 할 시간이 다가왔다. 그러던 중 갑작스러운 소식이
들렸다. 이는 삼성전자에서 디자인 멤버십을 채용한다는 소식
이었다. 삼성전자를 비롯한 여라 대기업은 우수한 디자인
전공생을 UX 디자이너를 양성하고 채용하는 프로그램을 운영
하고 있다. 과거에는 스카이에서 디자인 멤버십, LG전자에서
지니어스 디자인 멤버십을 운영했다. 이 시기에는 대부분 제조업
중심의 시대였기 때문에, 제조업과 관련한 기업에서 산업 디자인
전공 학생을 중심으로 한 프로그램이 중심을 이뤘다.

시간이 흘러 스마트폰이 일상에 필수품이 되었던 시대에는
주로 온라인 플랫폼 중심의 IT 기업에서 UX 디자이너를 양성
하는 프로그램을 개설하였다. 이는 네이버의 UXDP, 쿠팡의
3WKS와 같은 프로그램이다. 위 프로그램은 온라인 서비스를
중심으로 운영되는 만큼 UX 디자이너 양성의 프로그램으로

구성하였다. 이 외에도 여러 대기업에서 UX 디자이너 채용에
열을 올리며, 기업 맞춤형 UX 디자인 전문가 양성을 위한
프로그램 구축과 개선에 집중하고 있다.

삼성전자에서 하는 프로그램은 대략 30년이 된 프로그램이다.
그리고 선발되면 2년 정도 활동을 해야 한다. 그렇기 때문에
3~4주에 집중한 프로그램보다 학교생활을 하면서 활동하기에
안정적인 프로그램이라 할 수 있다. 이는 짧은 기간에 집중한
프로그램을 참여하기 위해 3~4주 서울에 머물러야 하는데,
단기간 거주하는 장소를 찾는 것이 생각보다 어렵기 때문이다.

UX 디자인 스터디의 소모임을 시작한 지 얼마 되지 않았지만,
집중해 배운 것을 직접 행하지 않으면 어떻게 내 위치를 알고
실력이 늘었다는 것을 증명하리오. 학기도 시작한 어수선한
상황이지만 한 번은 도전하는 것이 옳다고 모두가 생각했기에
우당탕탕 도전이 시작되었다.

갈수록 UX 디자인 분야는 디자인이라고 하기에는 너무 광범위
한 영역으로 발전하고 있는 것 같다. 이는 마케팅, 심리, 인지와
감성 공학. 개발, 신기술 등 여러 분야가 접목되고 있기 때문
이다. 이 때문에 UX 디자인 프로젝트를 하는 많은 학부생이
주제를 깊게 해석하고, 더 깊게 풀어내는 경우가 많은 것 같다.
깊은 내용을 다룰수록, 재미는 반감되고 명확한 사실을 담은
디자인이 되는 경우가 더러 있다. 즉, 거짓은 없는 있는 그대로
팩트를 보이는 리서치와 컨셉 UX 디자인이라 할 수 있다.
이를 역으로 접근한다면 어떨까?

연역법과 UX 디자인

인문학은 자연과학과 다른 점이 있다. 이는 추론을 하고 이를 증명하기 위한 전제를 제시하는 것이다. 이에 인문학의 많은 관점은 사실이기도 하지만 거짓인 경우도 있다. 그런데 거짓이면 어떠한가. 인문학에서 추론이란 상상하고, 이 상상이 재미있어 주목을 이끌고, 이를 증명하는 여러 전제와 관점이 흥미로운데! 이처럼 진실이라 생각하는 가설을 먼저 제시하고, 가설이 진실 이라고 말하는 데 도움이 되는 전제를 제시하는 추론을 연역법 이라고 한다.

이와 반대로 귀납법이 있다. 귀납법은 여러 현상에서 반복되는 사실을 바탕으로 사실을 추론하는 방법이다. 따라서 현상에 따라 가설은 사실일 수도 거짓일 수도 있게 된다. 보편적으로 UX 디자인은 사용자와 관련한 여러 조사를 통해서 확인한 사실을 바탕으로 접근한다. 이는 사용자가 서비스에 접속한 빈도, 눈길이 머문 시간, 이탈한 확률, 앱 다운로드 수와 같은 정보가 되시겠다.

UX는 명확한 데이터를 수집하고 분석하여 최적화된 사용자 경험을 디자인하는 일이다. 하지만 우리는 학생이다. 학생은 실무를 하는 전문가가 아니다. 따라서 다소 부족하더라도 구현될 수 있을 정도의 '컨셉'을 만들어야 한다. 그렇다면 매력적인 컨셉은 어떠한 디자인일까. 이는 누구나 공감하고, 호기심을 느낄 수 있는 이야기라고 생각한다. 이야기가 없다면 재미없고 딱딱한 사실 그대로의 데이터로만 디자인을 해야만 하기 때문이다.

앞서 스터디 소모임 또한 연역법을 기반으로 한 프로젝트라고
할 수 있다. 대구 사투리를 구사하는 키오스크 서비스가 좋을지
아닐지, 메타버스 동물원이 동물권에 도움이 되는지 아닌지
알 수 없다. 그저 좋을 것이라 전제를 두고 사실로서 포장하는
것이 연역법 기반의 UX 디자인 접근이라 할 수 있다. 이러한
연역법은 들으면 들을수록 공감이 가게 될 수 있다. 가설을
증명하는 여러 현상과 지식이 그럴싸하게 들리기 때문이다.

이와 같이 시간이 지날수록 깨닫게 되며 공감하게 되는 지점은
처음에 놀랍고 재미있게 느껴진 주제보다 긍정적인 심리
반응이 더 오래간다고 한다. 일본의 디자이너 하라 켄야는
나중에 깨닫게 되며 다가오는 충격과 놀라움의 지점이
디자인을 하며 중요한 영향을 미칠 것이라 했다.(13) 학생의
장점은 조금 엉뚱하더라도 재미있는 디자인을 할 수 있다는
점이다. 따라서 컨셉 디자인을 통해 놀라움을 오래 지속되도록
연역법의 접근을 활용해 보면 어떨까.

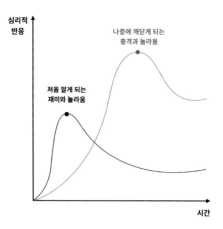

전국을 향해

연역법을 기반으로 한 UX 디자인 프로젝트는 왜 주효할까. 아마
많은 사람들은 명확하고 공신력 있는 문서의 데이터를 바탕으로
문제를 정의하고 해결 방안을 제안할 것이다. 예를 들면, 왜
사용자는 서비스 중간에 이탈하는지, 특정한 불편함이나 병을
가진 사람의 문제가 해결되지 위해서는 어떠한 의료 기반의
행위를 이끌어야 할지. 문제 정의부터 해결까지 데이터를 기반해
반드시 사실 그대로 행하도록 노려할 것이다. 그렇기 때문에
서비스는 깊고 탄탄할 것이다. 다만, 높은 확률로 재미가 있지
않을 것이다. 너무 전문적이니까 말이다.

우리가 의료나 법안과 관련한 책이나 지식을 찾을 때 흥미를
가질까? 아마도 어려운 단어나 풀이에 지쳐서 금방 관심을
잃을 것이다. 그렇기 때문에 의료, 법조 용어를 쉽게 전달하는
UX 디자인이나 서비스를 고민할 것이다. 아마도 많은 사람이.

이보다 법안이 만들어지게 된 역사나 문화, 사람의 이야기를
더 강조하면 어떨까. 이 부분이 인문학에 해당될 것이다. 예를
들어, 각 국가의 헌법 1조 항은 어떻게 되어 있을까. 세계에서
가장 오래된 헌법은 미국의 연방 헌법이다. 조선시대 정조 11년
시기에 만들어졌다고 한다. 시대에 맞춰 수정을 거친 수정헌법은
현재 미국의 헌법으로 자리하고 있다. 수정헌법 1조 항은 연방
의회는 국교를 정하거나, 자유로운 신앙행위를 금지할 수 없고,
언론이나 출판의 자유와 국민이 평화롭게 집회할 권리가 보장되
며, 고충의 구제를 위하여 정부에 청원할 수 있는 국민의 권리를
제한할 수 없다고 한다.

중국의 헌법 1조 항은 노동자 계급이 지도하고 노동연맹을 기초로 하는 인민민주주의가 정치의 기초라 정의되었다. 세계에서 가장 이성적이라 평가받는 독일 헌법의 1조 항은 인간 존엄성은 불가침이기에 이를 존중하고 보호하는 것은 국가의 의무라고 제시했다. 프랑스의 헌법 1조 항은 불가분적, 비종교적,
민주적, 사회적 공화국이며, 출신과 인종 및 종교에 차별 없이 모든 시민은 법 안에 평등하다 제시했다. 일본의 헌법 1조 항은 일본 덴노(天皇)는 국가의 상징이며 국민통합의 상징이며, 그 지위는 주권을 가진 일본 국민에 기초한다고 제시한다. 한국의 헌법 1조 항은 한국이 민주공화국이며, 주권은 국민으로부터 나오며, 모든 권력은 국민으로부터 나온다고 제시한다.

이처럼 한 나라의 문화를 대변하는 게 헌법 1조 항이라 할 수 있다. 그렇다면 각 나라의 헌법 1조 항이 과연 잘 지켜지고 있는지 팩트 체크를 하는 서비스가 있다면 어떨까? 아마도 많은 사람들은 불만을 가질 것이다. 이는 모든 사람이 만족할 조항을 제시하는 것은 어려운 일이기 때문이다. 이에 모두가 만족할 수 있도록 문장을 수정한다면 어떨까. 현재를 살아가는 국민, 시민이 참여하는 헌법의 살아있는 문장. 이를 도와줄 수 있는 소통 창구로서 서비스가 있다면 어떠한 구조이며, 사용자들이 편리하게 오가려면 어떻게 해야 할까.

법과 관련한 서비스라도 관점을 이렇게 달리하면, 이야기를 빌드업하며 사람의 주목을 이끌 수 있다. 이게 연역법적 접근이라 할 수 있다. 이러한 연역법적 접근을 추천하는 이유는 간단한다. 모두가 인문학적 관점으로 이야기를 풀기

보다 탄탄하고 숫자로 대변되는 사실에 기반 한 접근을 할 때,

조금은 다른 접근을 하면 눈에 띄지 않을까. 10명 중 9명이 같은 바운더리에서 경쟁할 때, 1명이 된다면 평가자는 호기심에 1명을 한 번 올리고 볼지 모른다. 전국에 도전을 한다고 해서 모두와 동일한 방법으로 경쟁하지 않아도 된다. 우리는 우리만의 방식으로, 있는 그대로를 보여주면 된다. 가장 우리 다운 모습이 가장 특별해 보일 테니까.

3년보다 값진 3주
나도 할 수 있다는 자신감

2022년 10월
3주간 도전한 사전과제와 후기

완성과 제출이 힘든 일이구나

디자인 전공을 하면서 한 학기, 적어도 한 달 이상의 시간동안 작업을 하는 경우가 많다. 그리고 그 작업은 팀 작업일 때가 많을 것이다. 공모전에 제출 하기 위해 모이거나, 과제를 위해서 모이거나. 개인 작업도 많지만, 최근에는 디자인 분야가 넓어진 만큼, 각자 자기가 잘 하는 분야의 전문성을 가지고 모여서 높은 완성도의 결과물을 만들려고 힘을 보탠다.

특히 UX 디자이너는 개인 과제를 할 일이 드물다. 리서치와 디자인, 프로토타입 제작과 확인까지. 때로는 사용자 시나리오의 영상도 만들어야 한다. 하나만 잘해서는 살아남기 어려운 분야다. 하지만 멤버십 프로그램에 지원하기 위해서는 3주간 주어진 사전과제를 혼자서 마무리 지어야 한다.

UX 디자인 과정을 돌이켜보자. 문제를 찾고 정의하며, 이를 해결할 방안을 제시해야 한다. 그리고 해결방안에 대한 조사, 분석이 필요하다. 여기에는 어피니티 다이어그램, 퍼소나, 사용자 여정지도, 이해관계자 설정, 스토리보드 등. 여러 가지 분석 정리 방법이 있다. 이 모든 것을 혼자 해야 하다니!

간략하지만 3주 간 가설을 세우고, 이를 사실이라 증명할 전제를 찾고, 간략히 10명 정도 사전조사를 했다. 조사를 통해서 수집한 데이터로 가상의 사용자인 퍼소나와 그의 여정지도, 이해관계를 설정했다. 이를 바탕으로 UI과 제품, 서비스 디자인을 문제 해결 상황의 시나리오에 맞춰 디자인했다. 마지막으로 정리를 하면서 6장 보드를 완성했다.

학기 중에 이 모든 것을 한다니. 그리고 과제까지 밀리지 않도록 밤을 새며 노력했다. 결과적으로 6명 모두 제출하지는 못했다. 용량이 초과하고, 웹 사이트가 동시 접속과 업로드로 느려지고, 그렇게 시간이 지나고. 완성을 다 했음에도 이러한 이벤트로 인해 제출을 못 할 수도 있다는 것을 배운 값진 경험이 되었다.

지나간 시간에 후회를 한다면 그럼에도 불구하고 생각하게 될 것이다. 그럼에도 불구하고, UX 디자인을 빨리 배웠더라면, 리서치를 왜 해야하는지 이해하고 UI 디자인에 노하우를 알았다면 지금보다 빠르게 진행될 수는 없었을까. 만일은 없다. 그렇기에 우리는 다음번에 같은 실수를 하지 않으려고 노력한다.

선한 영향력

이렇게 3주간 작업을 한 내용은 기업에서 채용을 위해 사전 과제를 제시하는 상황과 유사하다. 주어진 주제를 제시된 시간 동안에 마감해서 제출해야 하는 상황 말이다. 학생으로

학기가 시작된 시점부터 15주차 종강 시점까지 작업을 차분히
하고 제출하는 상황과 다를 것이다.

눈에 보이지 않는 적이 더 무섭다고 하던가. 누가 얼마나 어떻게
해오는지 알 수 없다. 그렇기 때문에 누군가 굉장히 잘하는
사람이 있을 것이라 상상하고, 그 사람의 완성도에 뒤처지지
않도록 작업을 하게 될 것이다. 채찍질하며 나를 다그칠 것이다.
그래서 스트레스도 많고, 압박도 심한 시간이 되었을 것이다.

막상 3주 간 과정이 끝나며 갑작스레 바쁨이 끝나니 허무함이
생겨났다. 누구든 그럴 것이다. 팽팽한 줄이 갑자기 느슨해지니
기분이 이상했을 것이다. 짧고 굵게 지나간 시간을 돌이켜 보며,
얻은 것도 많고 좋은 체험이라고 느꼈다.

그렇기 때문에, 이 경험을 공유하면 어떨까 했다. 그래서 처음
으로 시작한 것은 소모임을 공식적인 동아리로 만들어 보는
것이었다. 좋은 경험을 함께 나누고, 함께 성장하고자 하는 마음
이었다. 선한 영향력이 몽글몽글 피어나는 순간이었다.

3년 간 공부한 것보다 값졌던 3주로 느껴진 마음이 다른
학우에게 스며들 수 있다면. 부족한 UX 인프라의 대구일지라도
함께하면 더 오래, 멀리 갈 수 있지 않을까. 지금 부족하다면
우리가 바꾸면 된다. 부족하면 부족한 대로. 도전하고 마무리
하는 그 과정에서 배울 것이 있다. 당장 모든 것이 변하지 않더
라도, 하나씩 바뀐다면 대구만의 UX 디자인 배움 문화가 생기지
는 않을까.

둘째,
작은 모임에서 큰 모임으로

소모임에서 연합 동아리로
아쉬움과 두근거림으로 커지는 계획들

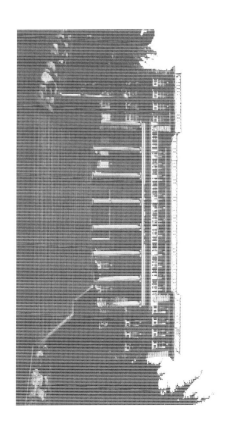

첫 학술대회에서
여러 대학의 학생들을 마주하다

2022년 11월
고려대학교에서 학술대회의
발표와 포스터로 연구를 게재하다

<u>구두 발표</u>

급작스러운 이벤트로 한 달간의 도전이 끝나고. 방학부터 준비하던 프로젝트의 마감이 다가왔다. 리서치와 디자인을 하고, 프로젝트에서 제시한 컨셉 서비스의 가능성을 통계를 통해 정량 검증을 진행했다. 이렇게 정리한 내용을 6장의 문서에 담아, 디자인 학회의 대학생 학술대회를 준비했다. 대학생 학술대회 문서를 2장으로 제약을 하는 바람에, 준비한 내용을 최대한 간소화해서 마무리하고 제출했다.

10월 초에 접수를 하고, 2주 정도 시간이 흘렀을 때쯤. 연구로 정리한 프로젝트의 결과가 통보되었다. 1건은 구두 발표였고, 1건은 포스터 발표였다. 이런들 또 어떠하며, 저런들 또 어떠하리. 첫 술에 배부를 수 없으니, 충분히 만족할 결과가 아니었으랴. 미대생이면 그림을 그리고, 어도비 툴을 다룰 것이라 알았기 때문에, 글을 쓰고 발표하는 것은 생소했을 것이다. 하지만 이 모든 것이 사용자 경험 디자인의 과정이다.

UX 디자인은 디자이너뿐 아니라 여러 직종의 사람이 모여서 함께 소통하며 일을 하게 된다. 그러니 커뮤니케이션 능력이 중요하다고 할 수 있다. 하지만 학교에서 학과에 과제가 아니면 프로젝트를 발표할 기회가 있을까. 아마도 거의 없을 것이다. 따라서 학술대회는 글을 정리하고, 커뮤니케이션 능력과 관련한 경험치가 쌓일 곳이라 생각하면 편하지 않을까.

발표까지 2주의 시간이 남았다. 발표 자료를 만들고, 대본을 만들고, 어떠한 질의응답이 나올지 몰라 미리 질문 리스트를 짜보기도 하고. 15분 간 발표를 어떻게 해야 할까. 사투리를 구사해도 괜찮을까. 많은 고민과 걱정, 두근거림이 공존하는 2주가 지나갔다. 그리고 발표 날에 도래했다.

발표 날

이른 새벽 기차를 타러 동대구역에 모였다. 포스터를 들고, 발표 자료를 보면서, 소모임 6인은 서울행 기차를 탔다. 8시쯤 서울역에 내려서 학술대회를 하는 고려대까지 이동했다. 전철에서 본 사람들, 출구로 나가는 사람들. 백팩을 메거나, 노트북 파우치를 들거나, 돌돌 말린 포스터를 들고 있거나. 학술 대회를 가는 사람들을 지나치며, 발표시간에 맞춰 이동했다.

첫 타임에 발표였기 때문에 급히 왔지만, 시작하는 시간에 딱 맞춰 들어가지는 못했다. 헐레벌떡 온 만큼 심장이 계속 뛰고 긴장감은 더해 갔다. 2번째 발표자의 발표가 끝나고 우리 차례가 왔다.

우리의 발표 주제는 대구 사투리를 구사하는 키오스크가 도시 브랜드 경험에 미치는 영향과 키오스크 자체 사용자 경험에 미치는 영향이다. 늦은 만큼 빠르게 발표 준비를 했다. 노트북에 발표 자료를 다 옮기고 발표가 시작되었다.

"저희가 대구에서 왔지만, 발표기 때문에 사투리를 되도록 안 쓰려고 노력하겠습니다."

처음에는 표준말로 발표를 시작했다. 하지만 처음 발표하는 자리인 만큼. 다른 학교와 다른 전공생 앞에서 발표를 하는 만큼. 다른 생각과 다른 풍경 속에서 공부하던 이들에게 처음 발표를 해보는 데 어찌 긴장하지 않을쏘냐. 3분쯤 지나가는 시점부터 사투리가 나오기 시작했다. 다행히 주제도 '대구 사투리를 구사하는 키오스크'였다. 그래서 자연스레 흘러가며 발표가 끝이 났다. 그리고 학교 수업에서 발표와 달리, 예리하고 날카로운 질문에 식은땀을 흘리며 답변을 하다 보니 주어진 시간이 모두 다 끝이 났다.

시원하기도 하고 아쉬운 시간이 끝이 났다. 다음번에는 더 해야겠다는 마음을 가지면 충분하다. 우리는 아직 시간이 있고 더 발전할 것이다. 성장에서 중요한 것은 속도가 아니라 최대치라고 한다. 이제 우리는 첫걸음을 떼어 도전을 시작했다. 전국의 학교와 전공에서 UX 디자인을 공부하는 학생들의 프로젝트를 보고 듣고, 그리고 우리도 할 수 있겠다는 마음을 얻었다. 이 첫 도전은 작은 한 걸음이지만, 앞으로 발전하는 데 큰 변화를 만들 한 걸음이 되길 바라며.

46

반년 간의 과정을 마무리하며
아쉬움을 뒤로 한 채

2022년 11월 중순에서 12월 초
UX 디자인을 이제 조금
이해하기 시작하다

열매를 맺는 결과들

5월에 우연찮게 모여 구성한 소모임이 시작되고 6개월이 지났다.
집중해서 공부를 한 만큼 하나 둘 결과가 보이기 시작한 시기다.
2개 프로젝트를 방학부터 시작해 학술대회에서 발표를 했다.
그리고 2건 모두 학술대회 소논문(proceeding)으로 게재되었다.
수정, 보완사항을 정리하여 개선하여 학회의 논문지에 소논문
(journal)에 제출하였다. 그 사이에 학기 초에 시작했던 삼성전자
디자인 멤버십 프로그램의 결과가 들려왔다. 초심자의 운인지,
2명이 합격하게 되었다. 거기에 대학생 논문 장려상까지!

UX 디자인에는 여러 방법이 있을 것이다. 우리가 선택하고 집중
해서 공부한 방향은 기업에서 채용하는 프로덕트 디자인의 필요
능력에 집중한 디자인 검증과 디자이너의 재미난 생각을 돋보일
연역법 기반의 접근이었다. 기술과 트렌드, 인간의 심리와 행동,
사회의 깊은 이면을 다루기보다 조금은 가벼우나 누구나 관심을
가질 법한 주제를 사실로서 포장할 수 있는 전제를 찾아가는
리서치의 방법이었다.

모든 아티스트가 그러하듯, 디자이너 또한 자기만의 철학과 방향이 있다. UX 디자인이 객관적이고, 이성적이며, 사실을 찾아 자료를 조리하는 데이터 사이언티스트와 같은 모습이 있다고 하지만, 그럼에도 디자인의 영역이기 때문에 자신만의 색이 없다고 할 수는 없다. 문제 정의, 해결안 제시, 리서치 접근도 방법론에서 마저 디자이너의 성향이 보일 것이다.

학생이기 때문에 우리는 책임질 것이 없다. 실패해도 좋은 시기고, 실패로 인해 배우는 것이 많은 시간이다. 실무에서는 한 번의 실수가 일으킬 문제가 있기 때문에 실험을 하기 어렵다. 따라서 학생답게 발상과 상상이 돋보일 컨셉 디자인과 연역법, 그리고 프로덕트 디자인의 업에 맞게 검증까지. 이게 아마도 우리의 UX 디자인 색이 된 것이 아닐까. 아무것도 없던 하얀 도화지에 부족하면 부족한 대로, 하나 둘 체험하고 시도하던 것들이 모여서 우리의 색이 생겼을 것이라 생각한다.

우리가 공부하고 시도한 방향의 첫 결과가 잘 나왔다고 해서 이 방향이 정답이라고 할 수는 없을 것이다. 세상에 놓여있는 여러 해답 중 하나일 뿐이다. 니체는 진리의 사도가 되고 싶다면 질문 하라고 했다. 우리는 가설을 진실로서 이야기하기 위해서 질문 하고, 이를 대처하기 위한 전제를 제시했다.

그리고 이러한 우리의 행동은 현대 미술의 한 분야와 같이 진실의 주체를 흔들고, 진리를 새롭게 제시하며, 집단이 함께 작품을 완성해 가는 모습이다.[12] 이처럼 우리는 디자인과 가장 어울리는 행동으로 뜨거운 도시에서 뜨거운 반년의 시간을 보냈다고 할 수 있지 않을까.

학술대회, 디자인 멤버십 도전이 끝나고, 주변에 여러 학우에게 UX 디자인 동아리를 소개하며, 반년간 공부하며 시도하고 얻은 경험을 나누기 시작했다.

<u>아래서부터, 위에서도 함께</u>

역사를 모르는 민족에게 미래는 없다는 문장이 있다. 이는 인간, 사회가 과거 역사와 비슷한 상황을 겪고, 유사한 행동을 되풀이함을 뜻한다. 학교도 소모임도 어떻게 보면 작은 사회다. 사회에서 변화는 어떻게 일어날까. 여러 이유가 있을 것이다.

대표적으로 위에서 개혁, 개방이 있다. 이는 과거에 집단으로 뭉친 부족, 도시 연합, 민족, 지역의 귀족과 군벌, 왕실을 포함해 현재는 정부까지. 힘을 가진 주체가 방향을 제시하고 변화를 이끄는 형태다. 반대의 형태는 아래서부터 개혁과 개방일 것이다. 대표적으로 민중이 있다. 프랑스혁명을 돌이켜보면, 대중이 일어나 한 시대의 종말을 고하듯 왕을 참수하였다. 이는 대중과 같은 일반의 다수가 세상의 패러다임을 바꾸는 변화로써 설명할 수 있지 않을까.

역사의 이야기를 하는 것은 우리의 도전이 위와 아래서 함께 변화하고자 했던 모습이 아닐까 해서다. 위에서는 대구에 UX 디자인 인프라가 없어도 할 수 있고, 실무 디자이너로서 경험한 노하우와 지식을 전달하는 데 집중했다. 그리고 학생은 아래서 배우고 프로젝트를 만들어가며, 도전을 했다. 그렇게 함께 만든 과정에서 우리는 작은 변화를 이끌었다.

이러한 작은 변화가 퍼져 큰 변화를 만드는 것은 우리 역사 속에서 쉽게 찾아볼 수 있다. 우리도 마찬가지였다. 11월 중순, 도전했던 결과가 나면서 프로젝트를 마감했기에 지치기도 했고, 목표가 갑자기 사라져서 허무한 시간이 되었다. 도전 중독자가 된 것처럼 가만히 있는 것이 더 불안한 상황이었다.

이때 나온 이야기가 있었다. 삼성전자의 디자이너 양성 프로그램에 도전할 때, 인터넷을 사용하지 못하고 서체도 없는 컴퓨터로 프로젝트를 했던 경험을 다른 이들도 나누면 좋겠다는 이야기였다. 학술대회에서 시도한 리서치는 기존에 현상에 몰두 해서 관찰하는 것과 다르기 때문에 다른 학우들도 알면 좋겠다 이야기했다. 대구에만 있다 보니 다른 학교의 디자인 스타일과 방향을 몰랐는데, 학술대회를 통해 우리도 충분히 다른 학교와 경쟁할 수 있다는 느낌을 공유할 수 있으면 좋겠다고 했다.

반년의 과정을 되돌아보며 리뷰하는 시간이었는데, 오히려 새롭게 무언가를 하면 좋겠다는 이야기가 주제가 되어버렸다. 이야기를 정리하면 보다 다수가 모이면 좋을 것 같고, 도전할 목표가 명확하면 좋을 것 같고, 전국의 여러 학생들을 만나 우리의 수준을 점검하고 발전할 방향을 알면 좋을 것 같고, 활동을 하면서 공모전이나 학술대회 같은 이력이 쌓이면 더 열심히 활동할 것이었다.

다수가 되려면 어떻게 하면 좋을까. 우리 학교의 같은 전공에서 UX 디자인을 공부하고자 하는 학우의 수요가 얼마나 될까. 디자인이라고 하기에 다소 복잡한 분야기 때문에 많지 않을 수 있다. 하지만 UX 디자인을 공부하겠다고 마음을 굳게 다진

학우가 모인다면 더욱 공부가 될 것이다. 그리고 같은 목표로
행동하는 만큼 더 많은 도전을 할 수 있을 것이라 생각했다.

그래서 한 가지 제안이 등장했다. 대구·경북권에서 UX 디자인
공부를 하는 학생들이 모여 함께 활동하면 어떨까. 대구에 UX
디자인 인프라가 부족해서 시작한 우리처럼, 마음은 있으나
무엇부터 할지 모르는 상황이라면. 아마도 더 열심히 하려고
하지 않을까. 서로 모여 함께 부족한 인프라를 개선하고자
노력한다면 지금보다 더 큰 발전을 할 것 같다고 했다.

그렇게 던진 이야기는 굴러굴러 대학 연합의 형태로 제시됐고,
우리는 대구·경북 지역 대학의 UX 디자인 연합 동아리를 만들어
보자고 했다.

첫 시도를 위한 한 발짝
연합 동아리를 향해서

2022년 12월
대구·경북 UX 디자인
연합 동아리를 만들어보자

동아리를 만들어가며

12월 말, 반년 동안 겪은 경험을 가득 담아서 연합 동아리를 선포하고자 했다. 디자인 전공에서 연합 동아리의 형태는 쉽게 찾아볼 수 있다. 광고 동아리, 타이포그래피 동아리, 또는 공모전 도전 동아리. 다들 어떤 목표를 잡고 작업을 하고, 작업을 전시하고 공모전에 제출하는 형태로 구성되어 있다. 우리도 이와 동일한 형태다. 프로젝트를 만들고, 이를 개선해서 공모전이나 학술대회에 제출할 수 있도록 해보는 형태로서 동아리를 구성했다. 6개월 간 했던 과정을 반복하기 때문에, 경험을 했던 학생이 선구자가 되어 충분히 운영될 수 있을 것이라 판단했다.

옆에 학교에 홍보하기 위해, 옆에 학교에 재학 중인 친구에게 연락해서 홍보를 부탁했다. 홍보만 한다면 매력이 없을 것이다. 그래서 6개월 간 했던 프로젝트를 모아서 준비했다. 그리고 학술대회부터 여러 활동을 체험하며 느낀 감정을 담아서 발표하고 질의응답을 가지도록 했다.

그럼 연합 동아리의 네이밍은 어떻게 해야 할까. UX 디자인이니
UX가 들어가야 할까. 대구지역이니 대구의 상징이 들어가야
할까. 여러 이야기 끝에 사용자 경험의 '경험'을 강조하는 이름
으로 가고자 했다. 그래서 게임에서 경험치를 뜻하는 EXP를
바탕으로, 모두가 모여 하나의 큰 활동을 부여하기 위해서
'엑스포' 네이밍을 도출했다.

디자인 전공의 행사인데 초라할 수 없다. 3주 간 뚝딱뚝딱
동아리 로고, 홍보 포스터를 준비했다. 학교에도 허락을 받아,
가장 화려하고 큰 세미나 발표 강의실을 예약했다. 그리고
인스타그램에 계정을 만들어서 홍보를 시작했다.

어떻게 흘러갈지 몰라 걱정이 되었다. 나름 목표를 가지고 시도
했지만 세상일이 다 마음처럼 되지 않으니 말이다. 그래도
다행히 여러 학교의 학생이 찾아왔다. 그리고 12월을 기점으로
우리는 새로운 도전인 '연합 동아리'와 'UX 디자인 공부'를 할
수 있는 계기가 마련되어다.

연합 동아리, 과학적 효과, 엑스포

대구·경북 UX 디자인 연합 동아리 엑스포의 시작이 갑작스레 이뤄진 것으로 볼 수도 있다. 정말로 갑작스레 시작되었기 때문이다. 하지만 허투루 이뤄진 모임이 아니다. 이 안에는 여러 계획과 과학적인 관점으로 이뤄진 동아리라 할 수 있다.

앞서 대구에 UX 디자인 실무를 체험하기 어려운 환경이라는 점을 다뤘다. 스터디 소모임이 시작된 계기기도 하다. 이처럼 디자인 전공 학생은 실무를 간접적으로 경험하는 데 있어 대학의 교육은 한계가 있다고 느낀다고 한다.[15] 이러한 한계에 UX 디자인도 포함된다.

교육과 관련한 선행 연구에서는 다음과 같이 제시한다. 최장섭 & 이상선(2011)은 토의식 수업과 자기 주도적 학습의 부족함,[16] 김영석(2019)은 '현장중심 학습법'이 부족하다 했다.[17] UX 디자인은 사용자 중심의 특성을 바탕으로 한 다학제적 분야다. 따라서 다른 디자인 분야의 교육 과정과 다르게 실기 중심으로 구성되어야 한다고 했다.[18] 여기서 실기 중심 교육은 실무의 과정과 유사하게 연계될수록 디자인 전문가로 성장하는 데 긍정적이라 한다.[19]

이 때문에 기업은 자신들의 업무 문화와 스타일에 최적화된 UX 디자인 전문가를 채용하기 위해서 직접 학생을 양성하는 프로그램을 개발하기도 했다. 삼성전자, 네이버, 쿠팡, 현대자동차의 프로그램이 그 사례다. 하지만, 이러한 프로그램은 기업에서 제공하는 만큼, 수도권에 오가면서 활동하지 않으면 프로그램을 이수하는 것이 불가능하다. 그리고 경쟁을 통해서 소수의 학생을 선발하는 만큼, 모두가 UX 디자이너로 성장하는 공부를 체험하는 데 한계가 있다.

현재 비수도권에서 UX 디자인 교과목을 운영하는 학교는 시각 디자인 전공을 기반으로 한 경우에 한에서 최소 19개 대학이 있다. 그렇기 때문에 비수도권에 특화되며, 실무에 최적화 된 방향으로서 UX 디자인 스터디 시스템이 필요하다고 할 수 있다. 이를 위해 동아리 시스템을 선택하게 된 것이다.

동아리는 사전적으로 한 무리를 이르는 순우리말이다. 현대 사회에서 동아리는 방과 후 활동의 모임으로서 소개된다. 대학의 동아리 활동은 전공 교육에 긍정적인 영향을 미치기도 한다. 이는 동아리가 전공과 관련한 실질적인 도전과 체험, 경험의 축적과 동기부여에 영향을 미치기 때문이다.[20] 또한, 동아리 활동이 전공 지식 습득과 팀으로서 유대감 향상에도 긍정적인 효과를 미친다고 한다.[21] 이러한 동아리를 통해 초등학교 방과 후 활동으로 UX 디자인 교육을 진행한 선행 연구도 있다. 이 연구에서는 초등학생의 창의성 향상에 긍정적인 효과를 확인 했다고 한다.[22]

이러한 대학의 무리 구성에서 벗어나 지역 연합으로 구성된다면, 다른 학교 학생을 만남으로써 형성되는 재미, 몰입감, 자신감, 자아실현감, 동기부여 측면에서 보다 긍정적인 효과가 있다고 한다.[22] 선행 연구에서는 지역 대학의 11개 동아리가 연합으로 프로젝트를 진행한 결과, 지역 사회 및 학생 성장에 더욱 큰 영향을 미친다고 한다.[23]

이러한 내용을 바탕으로 프로젝트를 계절별로 수행하는 동아리 형태를 구성했다. 그리고 계절 별로 수행한 결과물을 공모전이나 대외적으로 홍보할 SNS를 적극 활용하기로 했다. 이는 디자인전공에서 프로젝트 기반으로 수행하는 교육 시스템이 성장에 긍정적이며,(24) 스터디 결과물을 교육으로 마치는 것이 아니라 공모전 제출과 같은 목표를 설정하면 보다 긍정적일 수 있기 때문이다.(25)

대구는 경쟁 시스템으로 유지되는 교육 도시라고 한다.(26) 따라서, 프로젝트를 수행하며 경쟁하는 과정은 익숙할 수 있을 것이라 예측했다. 이에 약속한 일정을 목표로 프로젝트를 수행하고, 각 팀의 결과물 중에서 발표를 할 대표 작품을 선정할 적당한 수준의 경쟁을 하며, 결과물은 SNS에 홍보를 하고 공모전에도 제출할 퀄리티를 내는 것을 목표로 했다.

그리고 프로덕트 디자인을 채용하는 시기인 만큼, 가능한 검증을 해볼 수 있는 팀은 검증을 해보도록 제안했다. 그리고 블랜더(blender) 툴이 등장한 후, 3D 그래픽이 활용되는 컨셉 디자인이 많아지는 만큼 이를 적극 활용하고자 제안했다.

그렇게 6명이서 시작한 작은 소모임은 큰 형태로 발전했고, 이제는 학생들이 모여서 자연스럽게 굴러가기 시작했다.

함께 경쟁하고 성장하는
엑스포가 만들 미래

2023년 12월
UX 디자인 연합 동아리 엑스포가
앞으로 만들어 갈 모습을 그리며

대물림되는 경험

경험은 대물림된다는 말이 있다. 앞서 좋은 경험을 한 사람은
다음 세대에게 좋은 경험을 알려주고, 그렇게 쌓인 경험은 후에
지식이 된다고 한다. 소모임과 동아리의 형태로 처음 시작한
UX 디자인 스터디와 엑스포로 커진 연합 동아리의 형태는 아마
경험에서 이뤄진 것이 아닐까 한다. 이는 디자인 전공에서
동아리가 미치는 긍정적인 힘을 봤기 때문이다.

학생 입장에서 디자인으로 유명한 대학에 동아리를 한 번쯤은
보고 들어본 일이 있을 것이다. SNS로 소통이 보다 자유로운
현대 사회에서는 쉽게 찾아볼 수도 있다. 대표적으로 타이포
그래피 동아리가 있을 것이다. 과거에는 대학 별 타이포그래피
동아리가 모여서 연합 전시를 구축했다. 그리고 그 전시에는
도록으로 포장된 책이 나오기도 했다. 현재는 여러 활동을
비헨스나 인스타그램에 정리하여 업로드한다. 그렇기 때문에
우리는 디자인 전공 내 동아리 활동을 통해 성장할 수 있다는
것을 짐작할 수 있을 것이다.

소모임을 이끌었던 선생의 입장에서, 학생 때 경험했던 동아리의 긍정적인 부분을 투영하는 데 집중한 것 같다. 학생 때, 학과 내 여러 동아리들이 모여 동아리 전시를 하는 연합체인 딩(ding)이 있었다. 딩은 학교 교수님이 적극 지원하며 성장했고, 당시에는 유명한 디자인 운동이자 활동 중 하나였다. 이러한 경험이 있었기에 엑스포를 구성하는 것이 가능하진 않았을까.

1년이 흘러, 엑스포 3기 멤버를 모집한다는 글이 공지되었다. 이제는 자연스럽게 흘러가는 모임이 되었다. 그렇다고 해도 모든 것이 완벽하게 돌아가지는 않을 것이다. 단체 생활인 만큼 마음에 들지 않는 부분도 있을 것이다. 그리고 누군가는 쉽게 편승하려고 할 것이다. 같은 학교가 아닌 모임인 만큼, 불만을 쉽게 이야기하기도 어려울 것이다. 사람이 3명이 모이면, 그중 한 명은 빌런이 될 수 있다고 한다. 이를 빌런 질량의 법칙이라 해야 할까.

또 3D 기술이 발전하는 중, AI가 등장했다. 이제는 UI 디자인의 퀄리티만으로 차별화하는 것이 점차 어려워질 것이다. 특히 사용자 경험을 고려하는 분야인 만큼, 기존의 디자인과 너무나 다른 형태로 제시한다면, 보편성이 결여된 만큼 사용자가 불편해 할 상황이 유발될 것이다.

따라서, 서비스의 시각적인 형태로서 디자인은 평균 이상의 퀄리티를 보여야 하며, 같은 주제를 다른 관점으로 보고 이를 사실이라 추론할 능력이 보다 중요해질 것이다. AI가 아직 따라오지 못하는 인간의 창의성이란 기존의 현상을 다른 관점 으로 볼 수 있는 능력이기 때문이다.

이처럼 너무나 빠르게 변화하는 세상에서 엑스포는 부족하면 부족한 대로 잘 나아가고 있다. 방향성을 잘 잡고 나아간다면, 시간이 걸릴지라도 올바른 전문가로 성장하는 데 도움이 될 것이다. 좋든 좋지 않든, 모든 활동과 체험은 성장에 다 도움이 될 것이기 때문이다.

이제 다음 멤버로 들어올 여러 학생들이 서로 경쟁하고 발전하며, 성장의 즐거움을 느끼는 곳으로 엑스포가 뿌리내리길 바란다.

우리만의 방식으로

네카라쿠배당토는 디자인에 대해 공통된 홍보 방법이 있다면,
그것은 '우리가 어떻게 일하는지' 주제를 다룬 내용일 것이다.
비슷한 듯 아닌 듯. 내용을 읽다 보면 합리적이거나, 효율적으로
일하는 내용을 다루는 것 같다.

인간은 합리적인 동물이다. 이에 최대한의 이익을 위해서 편익
분석을 바탕으로 최적화(optimizing) 작업을 한다고 한다.
이처럼 인간이 합리적이라는 것을 전제로 한 분야 중 하나가
경제학이다. 하지만 인간은 기계처럼 완벽히 계산적일 수는
없다. 이렇듯 인간이 온전히 합리적이라는 데 부정하는 이론이
최근 주목받는 행동 경제학의 주장이다.

이 때문에 인간은 최적화된 상황을 분석한 뒤 합리적 기대에
따라서 선택을 하게 되는데, 이러한 선택에 감성, 심리가 영향을
미치며 경제적 이익을 고려하지만 바람직한 선택을 하지 않는
경우가 더러 존재한다.[27] 따라서 합리적인 행동을 주장하는 데
있어 손실을 회피하고자 하는 감정(손실회피성)과 틀에 따라서
다른 행동을 이끄는 감정(프레이밍 효과) 등이 고려되어야 한다.

이를 바탕으로, 우리는 기업에서 제시하는 UX 디자이너로서
일하는 방법과 문화를 이야기하는 기사에 너무 몰두될 필요는
없다고 본다. 이는 업무로서 최적화된 손실회피성에 가까운
방법일 확률이 높기 때문이다. 잔업이 없고, 맡은 시간 내
보다 많은 업무를 수행했다. 그리고 사용자의 행동을 분석하여
숫자로서 판단하다 보니, 최적화된 사용성과 서비스를 제시하는

내용이 많을 것이다. (물론 모두 다 그런 것은 아니지만)

따라서, 우리는 우리만의 방법을 바탕으로 행동을 하면 된다. 우리의 방법이 옳다고 생각하면 문제가 없을 것이다. 프레이밍 이란, 결국 우리가 어떻게 마음먹고 상황을 바라보느냐에 달렸다. 무라카미 하루키는 글을 쓰는 일에 대해서 가능한 다른 이들은 모두 틀렸다고 생각하고, 그저 내가 체험하는 일상의 풍경, 일상에서 만나는 사람의 이야기를 받아들이고 자신만의 이야기를 찾아가라고 했다.[28]

이처럼 우리는 우리만의 방식대로 지금과 같이 꾸준히 한다면, 네카라쿠배당토처럼 우리가 UX 디자인을 하는 방식으로서 이야기를 남길 수 있을 것이다.

정답보다 다양한 해답을 찾아서

소모임에서 시작해 엑스포까지. 2번의 겨울이 찾아왔다. 그 사이 엑스포와 UX 디자인 소모임 형태의 동아리에서 다양한 내용의 프로젝트를 수행했다. 그중에는 그래픽이 돋보이는 프로젝트도 있고, 리서치가 돋보이는 프로젝트도 있다. 그리고 검증이 되어 프로덕트 디자인의 프로젝트가 된 사례도 있다.

주제를 돌이켜 보면 다양하다. 하나의 통합된 토픽을 가지고 접근한 사례부터 자유 주제로 문제를 직접 정의한 프로젝트까지. 그리고 엑스포에서 배우고 습득한 지식을 바탕으로 수업과 학과 내 동아리에서 프로젝트를 이끌었다. 예를 들어보겠다.

2023년은 생성 AI가 화두인 해였다. 이러한 생성 AI를 두고 다양한 주제의 서비스를 제안하게 되었다. 이는 생성 AI가 다소 부족한 동양화 생성의 필요성, 웹툰 작가와 AI의 공존을 위해서 작가의 화풍을 구독제로 판매하는 서비스, 작가의 사후 미완성의 작품을 가능한 작가의 화풍과 이야기로 마무리할 수 있도록 돕는 펀딩 서비스, 딥러닝으로 습득된 가수의 목소리를 통해 커버되는 음악을 공식 서비스로 활용하기 위한 AI 스트리밍 서비스, 외국어 공부를 해도 실전에서 구사되는 일상의 언어와 책에서 다루는 언어에 차이가 있는 점을 고려하여 일상 언어를 학습하는 데 최적화된 소통 기반 교육 AI 서비스.

하나의 주제를 가지고 이렇게 다양한 주제로 풀이할 수 있을 관점과 능력이 생겼다. 좋은 패스는 달리는 사람에게 온다는 것처럼, 함께 공부하고 도전했기에 만들어진 관점이 아닐까.

이처럼 엑스포는 틀이 갖춰진 정답보다 재미있는 우리만의 디자인을 위한 해답을 찾고, 해답을 바탕으로 한 서비스의 가능성을 검증하는 활동으로 발전할 것이다. 그리고 찾은 해답을 함께 공유하고, 상상하고 소통하며 UX 디자이너로 성장하는 데 좋은 문화로서 자랑하는 날이 올 것이라 믿어 의심치 않는다.

<u>엑스포 현장</u>

포스터, 그리고 발표 현장의 흔적과 앞으로 나아갈 모습을 정리
하였다. UX 디자인의 불모지 같던 상황을 뒤집어 놓은 위풍당당
한 기록이다. 왔노라, 보았노라, 그리고 해냈노라! 앞으로도 오랫
동안 회자될 활동으로 자리 잡기를 바란다.

셋째,
1기 엑스포 '봄-여름'

알파 세대를 상상하며

2023년 상반기, 엑스포 프로젝트의 시작

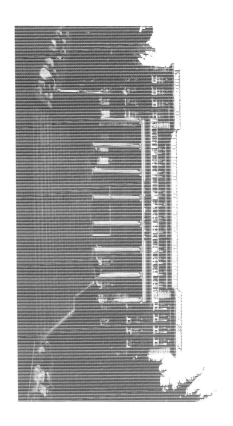

옴니
도예나, 이주원, 전주현

<u>옴니와 함께 즐겁고 손쉬운 구강관리</u>

옴니는 '치과 방문에 대한 진입 장벽이 높은 사람들이 손쉽고
체계적으로 집에서 구강관리를 할 수 없을까?'라는 질문에서
시작되었다. 2021년 국민 건강 영양조사에 따르면 치과 미충족
의료율이 2016년부터 2021년까지 상승 곡선을 그리고 있어
일반 병원 미충족 의료율보다 훨씬 높은 수치를 보이고 있었다.
이는 치과 미충족 의료율은 최근 1년 동안 치과 진료나 검진이
필요했으나 진단을 받지 못한 비율을 의미한다. 이를 통해,
타 의료 분야에 비해 구강 건강 관리의 꾸준한 관리 및 병원
방문이 어렵다는 것을 알 수 있었다.

해당 결과가 도출된 까닭을 살피기 위해 사람들의 관심도,
니즈 및 구강관리 현황에 대해 설문조사와 심화 인터뷰를
진행했다. 설문 결과에 따르면 구강관리에 관심은 많지만,
덴탈 포비아로 인한 치과 미 방문으로 구강관리의 적절한
시기를 놓치거나, 충치 불감증으로 인해 구강 위험을 발견하지
못했고, 결과적으로 바쁜 일상으로 인해 치과 방문을 소홀히
하게 된다는 문제를 발견했다.

이러한 문제점을 4가지의 페인 포인트로 유형화하고, 해결책을
도출했다. 첫째, 흩어져있는 구강관리에 대한 정보를 카드 뉴스

형식으로 쉽고 간편하게 볼 수 있도록 하였다. 둘째, '치과'라는 단어가 주는 두려운 감정들을 축소하고 사용자에게 따뜻한 감성을 전달하고자, 친근한 브랜딩을 진행했다. 셋째, 본인이 구강관리를 올바르게 하고 있는지 파악하기 어려운 사람들을 위해 옴니만의 IoT 기기를 통해 음성·시각 정보 가이드를 제공해 꼼꼼한 구강관리를 돕는다. 넷째, 자신의 현재 구강 상태에 맞는 개인화된 구강관리를 돕고자 사용자의 나이, 습관, 구강 상태를 분석하여 개인 맞춤형 칫솔질을 추천하는 서비스를 제공한다.

이후 사용자의 니즈와 편의성을 고려하여 앱 서비스와 IoT 서비스의 정보 구조도를 각각 제작했다. 옴니의 앱 서비스는 사용자의 접근성과 꾸준한 양치 유도를 고려하여 구성되었다. IoT 기기의 사용 플로우는 '세정모드', '실시간 피드백', '평가' 총 3단계로 구성된다. IoT는 양치질을 할 때가 아니더라도 상시 칫솔 교체 주기 알림 등 사용자에게 필요한 정보를 알림을 통해 전달한다.

덴탈 포비아로 인한 구강치료의 골든타임 미스 문제 개선을 위해, 사용자에게 친근하게 다가갈 수 있는 부드러운 무드의 브랜딩을 진행하며, 치아의 모양을 본뜬 둥근 형태의 캐릭터를 제작했다. 옴니의 메인 캐릭터 '온니'를 통해 사용자는 꾸준한 양치를 하며 함께 성장할 수 있다. 옴니의 로고는 메인 캐릭터 온니를 활용한 심벌과 타입을 활용한 로고, 두 가지로 제작했고, '옴니'라는 네이밍을 활용하여 '모든 곳에서 모든 방식으로, 옴니!'라는 슬로건을 사용하여 사용자에게 다가간다.

사용자가 옴니에 처음 접근했을 때, 캐릭터 '온니'를 활용한 친절한 온 보딩으로 서비스의 기능에 대한 간략한 설명을 확인할 수 있다. 다음으로, 옴니의 홈에서는 구강관리를 위한 사용자 맞춤형 기능을 제공한다. 상단에 배치된 오늘의 양치 리포트로 수치 값을 빠르게 확인 가능하며, 하단에 배치된 챌린지와 카드 뉴스로 사용자의 지속적인 구강관리를 유도한다.

치과 진료가 필요하다면, 옴니에서 가까운 치과를 찾고 바로 예약할 수 있다. 홈에서 치과 진료받기를 선택하거나 증상 키워드 검색으로 맞춤형 병원을 손쉽게 찾을 수 있다. 더불어 옴니는 매일 사용자의 양치 데이터를 연계하여 구강 상황에 맞는 적절한 치과를 선제적으로 탐색할 수 있도록 한다. 사용자가 방문할 치과를 골랐다면, 원하는 진료 방식과 구강 증상 및 개인 정보를 입력한 뒤 예약 날짜와 시간을 설정해 간단하게 치과 예약을 마무리할 수 있다.

또한 옴니는 치과에 방문할 시간이 부족한 사용자의 걱정을 덜어주는 역할을 합니다. 원하는 장소에서, 원하는 시간대에 바로 비대면 진료 서비스를 활용할 수 있어 시공간적 부담이 있는 사용자의 니즈를 충족해주는 비대면 진료 서비스를 제공하고자 한다. 치과에서 발신한 전화를 받으면 화상으로 진료가 시작되고, 진료 시에는 화상 전화와 채팅 기능을 자유롭게 전환하며 이용할 수 있습니다. 진료가 끝나면 처방받은 약의 정보와 수령 장소가 담긴 처방전을 받아볼 수 있다.

옴니의 맞춤 캘린더에서는 치과 예약부터 챌린지 알림, 그날의 양치 현황 등을 확인할 수 있어 사용자에게 필요한 구강 관리 일정 및 정보를 적절하게 알려준다. 사용자가 예약한 치과 진료나 약의 수령 일자는 자동으로 연동되어 실수로 까먹지 않게 도와주고, 개별 일자마다 기록된 오늘의 양치 리포트를 열람해 충치 위험도, 양치 시간, 치태 제거율, 잇몸 상태 등의 기록을 점수와 함께 확인할 수 있다.

이유 모를 구강 통증으로 빠르게 검진이 필요할 때, 옴니의 간편 구강검진을 이용할 수 있다. 간편 구강검진은 AI를 활용하여 치아 분석을 진행하며, 전면 카메라를 사용하여 화면에 제공되는 가이드에 따라서 치아를 촬영하면 AI가 치아를 인식하고 분석해 결과를 리포트로 알려준다. 이 리포트에선 치주질환 및 치아 우식도 등을 확인하여 구강 상태를 등급별로 확인할 수 있고 부위별 치아 손상 상태를 집중 분석으로 확인할 수 있어 구강 건강 상태를 정확하게 파악할 수 있다.

마지막으로, 옴니와 연동된 IoT 기기를 사용하여 양치 습관을 개선할 수 있다. 사물을 올려둘 공간이 부족한 화장실의 특성을 고려해 벽면에 탈부착할 수 있도록 제작된 옴니의 양치 보조 기기를 거울에 부착하면, 휴대폰을 휴대하지 않아도 IoT 화면을 보고 다양한 양치 가이드를 제공받을 수 있게 된다. 원하는 세정 모드를 골라 양치를 시작하고, 옴니가 제공하는 맞춤형 양치 가이드를 따름으로, 올바른 양치 과정을 익히고 매일 양치 결과에 대한 피드백을 받을 수 있다. 이를 통해 개인 맞춤형 양치 습관을 더 쉽고 정확하게 형성할 수 있다.

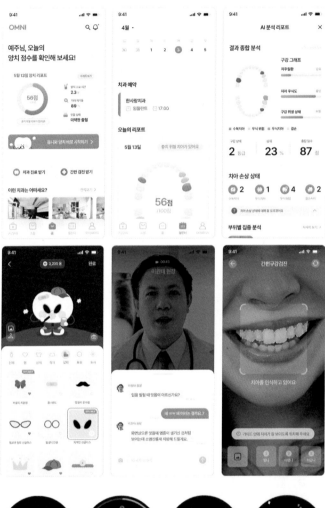

나와
김가현, 김민경, 방미강

<u>롤러블 스마트 워치 기반 AI 친구 서비스</u>

나와 항상 함께하는 친구를 원하지 않았나요? 팬데믹 이후 사람과의 접촉을 최소화하는 것이 익숙해진 현재, 그리고 미래에 세대 변화를 일으킬 마케팅의 핵심 알파세대. 그들을 위한 친구를 소개한다. 친구야, 나와!

알파세대는 새로운 웨어러블 디바이스를 사용하면서 인공지능 음성 친구로 친근한 느낌을 원할 것이다. 인공지능 비서에서 더 나아가 친근한 느낌이 들도록 하는 것이다. 또한 일상생활을 관리해 주는 역할도 해 준다.

"안녕, 나는 너의 영원한 친구 '뚜지'라고 해!"

친구라고 해서 다 같은 성격이 아니다. 사용자의 성격과 성향에 따라 원하는 스타일의 뚜지를 선택할 수 있다. 변화하는 사용자 성격에 따라 뚜지의 성격은 언제든지 바꿀 수 있다.

"나는 다정하고 스윗한 스윗뚜지야. 만나서 반가워!"

홈 화면에서는 사용자가 선택한 스타일의 뚜지와 오늘의 일정을 확인할 수 있다. 평소에는 작은 화면의 스마트 워치지만 롤러블

기능을 활용하여 보다 한눈에 내용을 확인할 수 있다. 뚜지를
두 번 터치하여 대화를 시작하거나 사용자의 일정을 추가할
수도 있다. 뚜지를 두 번 터치하면 사용자가 원하는 형식의 대화를
진행할 수 있다. 사용자의 보이스를 통해 원하는 내용을 입력
하면 뚜지의 스타일 혹은 친밀도에 따라 적절한 답변을 건네
준다.

대화를 그만하고 싶을 때는 언제든 그만할 수 있으며 답변
피드백 버튼을 통해 사용자의 반응을 전달할 수 있다. 또한
뚜지와 대화를 하고 싶지만 생각나는 말이 없는 사용자를 위해
추천 대화 버튼도 제공된다.

"레벨업! 대화스킬 능력 10을 받았어요. 신나는 만큼 흔들어
주세요."

뚜지와의 상호작용을 통해 뚜지의 레벨을 높일 수 있다. 뚜지의
레벨이 높아질수록 뚜지와의 대화가 자연스럽게 이루어질
것이다. 그만큼 사용자와의 대화를 통해 뚜지도 사용자를 알아
가니깐 말이다. 일정과 관련된 내용에서는 언제, 어떤 일정을
언제 알려줬으면 하는지에 대한 정보를 뚜지에게 알려주고
알림의 내용뿐 아니라 알림이 울리는 시간까지 자유롭게 설정할
수 있다.

"너! 운동가야 할 시간이야!"

"공부 할 시간이야, 넌 할 수 있어!"

뚜지의 알림은 사용자가 선택한 뚜지의 스타일에 따라 다르게 나타난다. 또한 뚜지는 사용자가 무슨 행동을 하는지에 따라 그 행동을 스마트 워치 내에서 함께 할 것이다. 일정을 변경하고 싶다면 언제든지 홈 화면이나 알림 화면에서 변경할 수 있다. 변경되는 일정이 있다면 언제든 뚜지에게 알려주자. 또한 그 외에도 뚜지에게 길 혹은 날씨를 묻거나 거주지의 전등을 원격 조정할 수 있다.

길 찾기 기능에서는 현재 위치를 토대로 방문을 희망하는 위치를 입력하여 길을 찾을 수 있다. 희망 위치는 음성으로 입력할 수 있으며 즐겨찾기 기능을 통해 자주 방문하는 목적지를 보다 쉽게 입력할 수도 있다. 또한 방문 방법을 원하는 대로 선택하여 사용자의 상황에 맞는 인터페이스를 제공한다. 길 안내 화면에서는 2D와 3D 중 원하는 시점을 선택하여 볼 수 있으며 3D 시점 선택 시 롤러블 디스플레이를 활용하여 보다 쉽게 길을 찾을 수 있다.

날씨는 현재 사용자의 위치를 기반으로 기온, 미세먼지, 초미세먼지, 자외선 정보를 알려주며 해당 날짜의 시간대별 날씨도 확인할 수 있다. 또한 뚜지가 직접 날씨에 따른 적절한 옷차림을 알려주기도 하니 밖에 나가기 전 뚜지를 불러 날씨를 물어보는 것도 좋다. 거주지의 전등 또한 밖에서도 원격 조정할 수 있다. 한 번에 전등을 껐다 켤 수 있으며 세부적인 밝기도 스마트 워치의 우측 버튼을 활용하여 조절할 수 있다. 그리고 이것도 귀찮다면 한 번 외쳐보자.

"나와, 뚜지!"

인스파이어랩
이한나, 여지민, 최은우

AI 그림체 구독제 서비스

'미드저니가 생성한', 'AI가 그린 그림', 최근 우리 일상에는 생성 AI를 활용한 새로운 기술들이 많이 선보여지고 있다. 이처럼 신기술이 등장하면서 자연스럽게 예술, 그림 업계에도 생각보다 도입이 많이 되고 있다. 현재는 작가와 같은 프로뿐만 아닌 일반인까지 생성 AI를 활용한 작품을 누구나 선보이고 있다.

AI로 생성하는 이미지 사례가 많아지는 만큼 작품 자체 퀄리티부터 저작권 여부, 예술계 일자리 위협 등 다양한 이슈도 함께 화두가 되고 있다. 실제로, 게임 산업에서도 생성 AI를 활용한 게임 개발 사례가 증가하고 있다. 국내뿐 아니라 세계적으로 이슈가 되고 있는 만큼 게임 일러스트 제작이나 원화가의 그림에 채색을 돕는 보조 용도로 생성 AI를 활용하는 사례를 심심찮게 발견할 수 있었습니다.

이러한 생성 AI가 만들어낸 그림을 반가워하지 않는 대중들도 있다. 시행되고 있는 웹툰 서비스 중 가장 많은 사용자를 보유한 네이버 웹툰 경우, AI를 활용한 그림을 업로드하는 작가들이 등장하기 시작하면서 이에 거부감을 느끼는 독자들에게 윤리적 문제로 제기된 사건이 있다. 이를 통해, 사람들은 생성 AI가 만들어내는 작품에 대해 저작권 및 일자리 문제 유발을 인식하고 있음을 확인할 수 있다.

이처럼 생성 AI는 작가의 작업을 최소화하며 빠르고 저렴하게 이미지를 생성할 수 있지만, 인력 감소를 위해 작가를 해고하며 그림과 관련한 노동 가치에 대한 문제가 생길 수 있다. 또한, 여러 작가의 창작 활동 결과물인 그림과 글을 데이터로 학습하게 될 경우 저작권에 대한 문제도 발생할 수 있다. 따라서, 저희는 생성 AI가 유발할 그림 작가의 일자리 위협과 저작권에 도움이 될 방안을 찾고자 한다.

이를 위해 가장 먼저 사전 조사를 진행한 결과, 그림 관련 종사자 및 지망생 50명은 저작권자의 입장에서 일자리와 저작권 문제 인지와 공감을 하고 있음을 확인했다. 답변자는 AI와 작가가 공존하기 위한 방안으로 작가의 독자적인 아이덴티티를 구축해 대체제가 없는 작가가 되어야 한다고 했다. 생성 AI를 작가의 어시스턴트 및 보조 역할로써 활용할 수 있고, 아이디어 컨셉 도출에 도움을 받을 수 있는 방안에 대해 긍정적인 반응을 보였다. 저작권 사용에 동의하지 않은 타 작가의 흔적이 포함되지 않도록 할 필요가 있다고 했다.

마지막으로 저작권에 대한 규율이 필요하며, 이를 직접 구매해 데이터를 활용하는 구독제 형태의 규제 및 서비스 형태에 대한 긍정적인 반응도 확인했다.

따라서, 음악 및 OTT 서비스와 같이 정당하게 저작권을 구매하여 해당 데이터를 소비할 수 있는 형식의 구독제 서비스처럼,

그림체 자체가 저작권과 특허가 된다면 사용자와 작가 모두
저작권 이슈에서 벗어날뿐더러 새로운 일자리 창출 시스템을
구축해 일자리 문제도 해결될 수 있을 것이라 예측하였다.
이러한 문제 해결안을 위한 서비스를 디자인하기 시작했다.

서비스 디자인을 위해서 사용자는 본 서비스의 화면 통해 AI
그림 서비스의 구독 신청을 할 수 있도록 하고, 그림체를 찾는
사용자가 원하는 그림체를 찾을 수 있도록 했다. 검색 후 저장한
그림체를 카테고리 별로 그루핑해 관리할 수 있도록 했다.
구독한 그림체로 결과물을 도출하고 싶은 사용자는 원하는
그림체 작가를 선택한 후 원하는 결과물의 프롬프트를 입력해
해당 장면을 도출할 수 있게 했다. 이를 합한다면 하나의
웹툰이 될 수도 있을 것이다. 마지막으로 그림체를 사용하는
사용자뿐 아닌 그림체를 제공하며 수익을 얻어갈 수 있는
작가 관점의 관리 페이지도 함께 제시했다.

서비스 검증을 위해 SUS 검증을 진행한 결과, 서비스 컨셉
디자인이 유효하다는 결론을 도출했다. 하지만 생성될 그림의
필요성과 목적성, 접근성을 높일 방안과 사용 범위를 명확히
지정해야 할 것이다. 이를 위해 라이선스 기준에 대한 연구와
추가로, 실제 작가 행동, 패턴을 반영한 부분을 추후 작업에
반영해 보고자 한다.

틴플
김용환, 김경미, 엄예진, 윤예원, 최은우

<u>청소년 밀실 공간에서의 유해 행위 방지를 위한 서비스</u>

청소년 성문조사 보고서에 따르면, 청소년들의 평균 첫 성 경험 연령이 만 13.6세로 점차 줄어들고 있음과 동시에 10대 청소년 중 54.7%는 성관계 경험이 있다고 한다. 이들 중 46.7%는 보통 모텔, 멀티방, DVD방, 룸 카페와 같은 공간에서 경험이 있다. 이에, 여성가족부는 청소년들이 올바른 성문화를 이해하고 행하는 성관계는 문제가 없다고 하나, 밀실과 밀폐된 공간에서 올바르지 못한 성관계에 대하여 청소년 보호를 위해 문제 공간을 규제해야 하며 다양한 노력을 실행하고 있다. 이러한 문제의 공간으로서 숙박업과 같이 침대와 TV를 배치하여 마치 모텔 서비스와 같이 운영하고 있는 변종된 룸카페가 지목되고 있다.

이를 해결하기 위해, Crime Prevention Through Environmental Design의 약어이며, 환경 설계를 통한 범죄 예방을 뜻하는 CPTED의 5가지 원리를 활용해 공간을 재설계하고자 했다. 먼저 자연적 감시는 가시권을 최대화시키는 디자인을 통해 감시하는 눈이 자연적으로 생기게 하여 범죄를 예방하는 원리며 감시를 고려한 홈베이스, 사각지대를 중심으로 한 효율적인

CCTV 설치했다. 그리고 자연적 접근 통제는 정해진 공간으로 유도하여 출입을 자연스럽게 통제하거나 범죄자의 침입을 통제하기 위한 원리이며 인증받은 10대만 사용 가능한 곳임을 홍보 및 출입구 키오스크에서 안내하도록 했다.

그리고 영역성 강화는 울타리 같은 소유권 표시를 통해 공적, 사적 영역을 구분하는 것이며 이용객들에게 금지사항, 사용 방법을 알리는 표지판을 명료하게 설치했다. 다음 활동의 활성화는 공공장소의 공간 배치나 시설물을 사람들이 다양한 용도로 활발하게 사용할 수 있도록 유도하여 주변을 활성화 시키고 자연스럽게 감시 가능성을 증가시키는 원리이며 CCTV 에서 먼 곳, 끝부분에 커뮤니티 공간을 만들어 자연스러운 감시 효과를 생성시켰다.

마지막으로 유지관리는 시설물, 공공장소들을 청결히 유지, 관리 하여 일탈행동, 심리를 경감하는 원리이며 공간에 환경 정비 및 유지관리를 하도록 설계했다. 이를 바탕으로 설계된 공간 서비스 틴플은 teenager과 play의 합성어로 10대들의 놀이 공간이라는 의미를 담아 제작했으며, 청소년 인증 후 어플로 쉽게 예약할 수 있는 UI 서비스를 구축했다.

이렇게 구축한 공간 대여 틴플 서비스를 통해 보다 더 안전한 청소년 문화 조성에 도움이 되고자 한다.

BIB
배수현, 이나리, 이혜연

<u>건강관리를 위한 개인 맞춤형 Chat GPT 기반 식단 서비스</u>

최근 알파 세대는 기대 수명 증가와 코로나19와 같은 글로벌한 위기 상황을 경험하며 건강에 대한 중요성을 새롭게 깨닫고 있다. 이에 따라 알파 세대는 건강한 삶을 추구하고자 하며, 이를 위한 핵심으로는 건강한 식습관과 올바른 식단 관리라는 점을 인식하고 있다.

하지만 이들이 정보의 오류가 다발적으로 나타나고 있는 현대 사회 속 올바른 식단을 실천하기에는 쉽지 않을 것이라 판단된다. 위 연구는 알파 세대를 대상으로 건강관리를 위해 제안되는 개인 맞춤형 식단 서비스에 초점을 맞춰 진행하고자 한다.

우선, 코로나19를 겪고 있는 20대를 대상으로 건강 인식에 관한 설문 조사를 실시하였다. 그 결과, 50% 이상의 참여자들이 건강 관리에서 식단관리가 가장 중요하다고 응답하였다. 이어서, 식단 관리에 익숙한 참여자들에게 구체적인 질문을 하였고, 대다수가 직접 조리하는 것보다는 완제품 형태로 제공되며 빠르고 간편 하게 이용할 수 있는 서비스를 요구하였다. 또한, 각자의 건강 상태와 목적에 맞춘 영양 균형을 고려한 다양한 식단 정보를 원하는 바로 나타났다. 이에 따라 사용자들의 니즈를

요약하면, 빠르고 간편하면서도 다양성을 갖춘 개인 맞춤형
식단 서비스의 필요성이 부각되었다고 할 수 있다.

위 내용을 바탕으로 정확한 문제를 인식하기 위해 성인이 된
알파 세대로 가상의 퍼소나를 설정하였다. 본 연구에서 퍼소나는
30대 직장 여성으로, 건강에 대한 관심이 생기기 시작한다.
퍼소나는 당뇨 가족력이 있으며 어린 시절에 코로나에 감염된
경험이 있어 건강에 예민한 성향을 가진다. 일찍부터 건강을
위해 식단관리를 시작하였으나 정보의 다양성으로 인해 자신
에게 딱 알맞은 식단을 짓기 어려워한다. 우선 한 가지를 정해
무작정 시도해 보았지만 자신에게 맞춰진 식단이 아니기 때문에
큰 도움이 되지 않았다. 게다가 직장 생활로 인해 음식을 준비
하는 것이 매우 번거로웠고 반복되는 식단에 지루함을 느끼면서
빨리 포기하게 되었다.

퍼소나를 바탕으로 고객 여정 지도를 만들어 웹사이트 검색을
통한 식단관리 단계의 상황을 정리하였다. 퍼소나는 직장 생활을
시작하며 건강관리에 관심이 많아졌고 가장 기본이 되는 식단
관리부터 시작하기로 하였다. 정보 수집 단계에서 방대한 정보를
선별하는 데에 어려움을 느끼고 식단을 지속하면서 한 달가량
동안 반복적인 식단에 싫증을 느꼈다. 또 자신에게 딱 맞추어진
식단이 아니라는 것에 의구심을 품고 있다. 개인의 건강 상태에
맞추어 다양하게 제공되는 식단관리 서비스, 그리고 손질된
재료나 완제품을 배달해 주는 서비스가 해결책이 될 것으로
예측한다.

본 프로젝트의 목표는 사용자에게 식단을 통한 건강관리 체계를
원활하게 제공하는 것이다. 앞선 리서치와 모델링을 통해 젊은
세대의 사람들이 자신의 몸에 최적화된 식단을 간편한 방법으로
혼자 해결하고 싶어 하는 니즈를 가지고 있음을 알 수 있었다.
코로나 시대를 겪어본 알파 세대들은 더욱 독립적인 라이프
스타일을 추구할 것이고 그에 대한 데이터를 수집하여 문제
해결을 위한 컨셉 디자인을 제안한다.

Chat GPT와 대화하기 이전에 사전 데이터를 3단계에 거쳐 수집
한다. 1단계에서는 기본적인 개인정보를 입력한다. 성별이나
연령, 키 몸무게에 따라 필요로 하는 에너지의 양이 다르기
때문이다. 2단계에서는 건강 검진 기록, 알레르기나 가족력,
유전력 등의 검사 결과지를 앱 내에서 스캔하면 내용을 인식
하여 건강정보를 등록하게 되는 방식이다. 3단계에서는 수면
패턴이나, 운동 습관, 주거 형태, 평소 활동량 등의 라이프
스타일을 간단한 문답 형태로 조사한다.

다음으로, Chat GPT에게 기존 식단 사진을 전송하면 평소
식습관을 분석해 개선할 점을 알려준다. 그 후 퍼소나가 원하는
식단 조건을 설정한다. 이때는 편식 등의 선호도까지 반영하게
되며 구체적인 가격 설정까지 할 수 있다. 마지막으로 식단
관리를 하는 이유와 목표를 대화를 통해 구체적으로 설정하면
추천 식단이 완성된다. 이때 식단 중 마음에 들지 않는 음식이
들어있다면 비슷한 영양 성분의 밀키트로 교체할 수 있다.

식단 완성 화면에서 Chat GPT가 구성한 식단의 주안점을
정리해 보여준다. 퍼소나의 식단은 저당 식품 위주로 당뇨

가족력에 대비하는 것을 목표로 한다. 또한 마그네슘과 같은 혈당 수치를 낮추기 위한 영양제를 추천받아 식단을 보조하기로 한다. 마이페이지에서는 식단 관리 기간과 목표 달성 수치, 건강 리포트를 확인할 수 있다. 퍼소나의 건강 상태에 유의미한 변화가 있을 시 상단에 간단한 리포트를 안내해 준다.

브랜드 컨셉을 키워드로 정리하면 '간편한, 개인 맞춤 서비스, 균형 잡힌, 다채로움, 지속 가능한 목표 실현, 맛있는' 정도가 될 수 있겠고 이 키워드를 바탕으로 디자인 컨셉을 도출하였다. 서비스가 대화 형식으로 진행되기에 심볼에 말풍선이 사용 되었다. 기본 그래픽을 다양하게 변형하여 다채로운 표정을 만들었고 이를 통해 사용자로 하여금 딱딱한 기계와 대화하는 느낌에서 벗어나 서비스에 더욱 몰입을 할 수 있게끔 디자인 하였다. 이는 대화 내용에서 사용자의 니즈와 취향, 정보를 수집하는 서비스의 특성상, 대화의 몰입도가 제공되는 서비스의 정확도와 깊이 연관이 된다고 보았기 때문이다.

BIB은 기존의 다이어트 위주의 식단관리가 아닌 질병 예방에 포커스를 맞춰 건강관리를 중시하는 알파 세대의 니즈를 충족 시킨다. 빅데이터를 통해 다양한 구성의 식단을 개인 특성을 고려해 빠르게 구성하여 배달까지 해주어 반복적인 식단관리의 지속성을 높여줘 건강한 삶을 유지하는데 도움을 줄 것으로 기대한다.

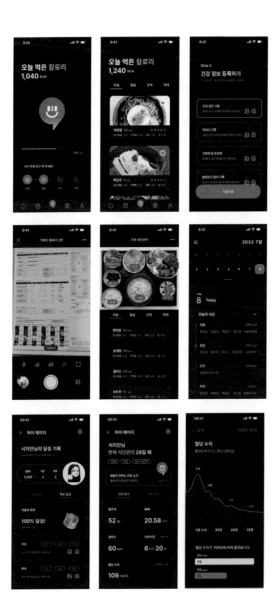

얌체
임수진, 이재련, 전민주

체리슈머를 위한 간편 이벤트 참여 전자 상거래

체리슈머는 알뜰하게 소비하여 원하는 경험은 가져가되, 아낄 수 있는 부분에서는 최대한 아끼는 최근 소비 트렌드에서 나온 말이다. 앞으로의 알파세대가 이러한 소비습관을 더 편리하고 즐겁게 즐길 수 있는 서비스를 구상하고자 하였다.

설문조사 결과, 과반수의 사람들이 현재 알뜰한 소비를 즐기기 위한 전자상거래 플랫폼의 사용이 불편하다고 답했다. 신규 회원 가입절차, sns 리뷰 이벤트 참여, 개인정보 기입, 정보 찾는 과정 순으로 불편함을 느끼는 사용자들이 많았고, 이벤트 참여 시, 매번 다른 페이지를 방문해 그때그때 개인정보를 기입해야 함에 번거로움을 느낀다는 의견이 많았다. 저희는 이러한 불편함을 풀어내기 위해 '원터치, 이벤트 할인정보, AI 빅데이터'라는 세 가지 니즈 키워드를 도출하고 한 번의 정보기입, 이벤트 정보 통합, AI분석 맞춤 정보 제공이라는 솔루션을 제안한다.

얌체를 본격적으로 이용하기 전에 키워드를 고르면 AI가 자동으로 취향을 반영해 정보를 제공한다. 조금 더 확실하고 개인적인 분석을 위해 키워드 검색 탭을 제작했다.

마이 페이지에서는 중요한 정보를 손쉽게 관리할 수 있다.
불필요한 광고성 알림 대신 내가 원하는 할인율, 브랜드,
키워드를 설정할 수 있습니다. 알림 내용 키워드도 더 확실하고
개인적인 분석을 위해 키워드 검색 탭을 제작했다. <얌체>는
소비 금액이 아닌 절약한 금액을 알려주고, 이에 따라 회원
등급이 결정된다.

얌체는 더 빠르고 간편한 원터치 구매를 위해 결제 수단을
등록해 놓을 수 있습니다. 빠른 결제를 위해 계좌나 카드를
등록해 보라. 할인과 이벤트 창을 토글 형태로 분리 제작하여
할인 구매를 원하는 체리슈머의 니즈를 충족합니다. 메인
슬라이드 배너에는 홍보/ 광고/ 추천/ 혜택 등 다양한 정보가
노출되고, 즐겨 찾는 카테고리 탭을 통해 관심 카테고리만 추가
하고 즐길 수 있다. 슬라이드를 내리면 맞춤 할인 정보가 제공
된다. 얌체는 검색 탭에서 실시간 검색어를 제공하여 개인
취향뿐 아니라, 현재 인기 있는 정보를 실시간으로 확인할 수
있다.

검색 탭 메인화면에서는 필터를 통해 필요한 정보만 볼 수 있고,
구매하기 버튼과, 링크 버튼을 따로 제작했다. 이는 목록에서
바로 구매로 이어지기를 원하는 사용자와, 이벤트 및 할인
정보를 더 살피기를 원하는 사용자의 니즈를 동시에 충족한다.

링크 버튼을 누르면 해당 이벤트를 주최하는 회사나 상점의
응모 페이지가 뜨고, 더 자세한 정보를 원하는 사용자들은 링크
내 상세페이지를 통해 정보를 얻을 수 있습니다. 응모를 원할
경우 화면 하단에 있는 슬라이드를 밀면 원터치로 응모가

가능하다. 오른쪽 상단 북 마크 탭을 통해 정보를 저장할 수 있다. 할인 상품의 경우, 가격, 결제수단, 배송정보 등 결제 정보 확인을 위한 최소한의 팝업창을 추가로 제작했습니다. 결제 방법은 응모페이지와 동일하게 하단 슬라이드 탭을 통해 결제가 이루어진다.

<얌체>는 오프라인 할인정보를 함께 제공합니다. 현 위치를 기반으로 내 주변 상점의 이벤트 정보를 확인할 수 있고, 간단한 채팅 서비스를 함께 제공하여, 전화보다 텍스트를 통한 대화가 익숙한 알파세대가 해당 매장에 간단한 문의를 할 수 있도록 제작했다.

포롱
권민지, 김도영, 이서희, 박진희

<u>직장 내 세대 소통을 위한 번역 서비스</u>

저희는 스마트 디바이스에 친숙한 미래 세대들이 어휘 및 문해력 부족으로 인해 실제로 직장 내에서 언어적 소통 장벽을 느끼고 있는 상황에 집중하여 소통 대상 맞춤 번역 서비스를 설계했어요.

디지털 사회가 발달함에 따라, 스마트폰은 일상 속에서 필수 요소로 자리 잡았으며, 이러한 환경에 익숙한 디지털 네이티브 세대는 주로 유튜브 shorts, 인스타그램 릴스, 틱톡과 같은 숏폼 형태의 소셜 미디어를 가장 많이 이용한다는 사실을 어렵지 않게 발견할 수 있었어요.

이러한 사실은 작은 화면의 스마트폰으로 글을 읽고, 영상이나 이미지와 함께 짧은 문장을 접하는 디지털 리터러시의 시대가 도래하였음을 시사하고 있죠. 이 환경에 놓인 세대들은 빠르게 변화하는 트렌드에 민감하고 갈등 상황을 회피하는 경향이 있으며, 오프라인보다는 온라인에서 자신을 더 잘 표현한다는 연구 결과도 있었어요.

여기서 저희는 이 디지털 네이티브 세대가 오프라인 상황에서 다세대와 접촉하며 의사소통에 갈등을 겪게 되는 경우에 대해 생각해 보았어요. 한 공간에 여러 세대가 조직을 구성하고 의사소통하는 경우는 주로 직장인 것을 알 수 있었죠. 실제 연구에 따르면, 직장 내 세대 갈등을 유발하는 요인으로는 세대 간의 가치관, 행동 양식, 이해관계의 차이가 다수였습니다. 이와 관련해 다양한 연구와 매체에서는 세대 갈등을 해소하기 위해서 서로 간 소통을 통해 다름을 이해하고 인정하며 존중하는 방식으로 해결고리를 찾아야 한다고 주장하는데요, 서로 다른 세대가 소통을 하기 위해서는 말과 대화를 비롯한 언어가 필수적인데, 서로 언어가 통하지 않는 상황에서 이상적인 소통이라는 것을 할 수 있을까라는 아이러니와 함께 근본적인 세대 갈등 해결이 불가능할 것이라는 생각이 들었어요.

이에 대해 우선 디지털 네이티브 세대의 디지털 의존도와 언어 능력 인지 실태에 대한 파악이 필요하다 느꼈고, 디지털 의존도에 따라 언어 및 의사소통 문제가 심화될 것이라는 전제를 바탕으로 20-30대 청년세대 76명을 대상으로 2023년 2월 20일부터 22일까지 3일간 온라인 설문조사를 진행했어요.

응답자는 최근 SNS에서 문해력 논란으로 화제가 된 '심심한 사과', '금일', '사흘' 등의 어휘를 습득한 경로에 대해 유머 게시글, 대학 과제 공지, 업무 메일, 부모님 혹은 주변 어른을 통한 습득 등 다양한 답변을 주셨어요. 이를 통해 저희는 같은 어휘를 배우더라도 소통 대상이나 상황에 따라 다양한 경로와 방식으로 언어를 습득한다는 사실을 알 수 있었죠.

위 사실을 가설로 설정한 후, 실제 직장 내에서는 어떤 상황에서 소통의 문제가 발생하는지를 수집하기 위해 직장인 청년

세대와 기성세대 8명을 심층 인터뷰 해 보았어요. 여기서 알 수 있었던 점은 1)직장 상사가 본인만의 줄임말을 사용하는 경우 검색의 불편함, 2)사회초년생이 느끼는 업무 용어와 약칭에 대한 어려움, 3)업무 도중 순식간에 이루어지는 용어 관련 교육 및 습득이 되는 경우 제대로 이해하지 못하고 넘어가게 되는 아쉬움이 존재한다는 것이었어요.

이를 바탕으로, 3개월 차 신입사원이자 효율적인 업무를 추구 하지만, 한자와 영어로 이루어진 어려운 업무 용어와 약칭에 대해 어려움을 느끼고, 이를 잊지 않도록 메모를 해 놓지만 이후 메모 경로를 망각하여 재검색을 반복하는 상황의 퍼소나를 설정했어요. 구체적인 사용 시나리오를 작성하여 실제 서비스 적용이 가능한 시점을 파악하기 위해서였죠.

이에 따라, 저희는 앞서 진행한 유저 리서치를 통해 얻은 핵심 인사이트와 페인 포인트를 바탕으로 구체적인 서비스 솔루션을 도출했어요.

첫째, 소통 대상에 따라 어휘를 받아들이는 상황과 맥락에 차이가 있다는 점에서, 번역 대상 프로필을 등록 후 대상에 따른 번역 데이터를 대화를 통해 축적하여 점차 더 맥락 있는 번역을 제공할 수 있도록 했어요. 여기서, 대화를 통해 AI를 학습시켜 맥락의 의미를 반영한 답변을 하도록 하는 ChatGPT의 특성을 활용했어요.

둘째, 업무 중 순식간에 어휘 교육 및 습득이 이루어지는 경우 기억이 나지 않았던 경험에 대해, 음성 인식으로 신속하게 용어를 추출하고 번역한 후, 결과를 자동으로 저장해 주어 나중에 다시 학습하기를 제안하도록 했어요. 실제 근무 환경에서 용어를 번역해 준들, 심도 있게 이해하고 암기할 시간이 없기 때문이죠. 그래서 번역 시 실시간으로 번역 결과를 보여주되, 바로 휴대폰을 끄더라도 자동 보관이 되고, 보관된 번역 내역에 대해 팝업이나 알림 표시를 띄워 두어 출퇴근과 같은 자투리 시간에 활용할 수 있도록 했어요.

셋째, 직무별로 통용되는 언어문화가 다른 점에서 검색에 어려움을 겪는 경험에 대해, 온보딩에서 나의 직무와 근무지를 등록하여 위치 기반으로 통용되는 언어 데이터 기반의 번역을 제공하도록 했어요. 병원에 근무하는 간호사 간에 사용하는 용어와 사무실에 근무하는 디자이너 간에 사용하는 용어가 다르듯이, 직무의 성격을 분석한 배경 데이터를 인지하도록 하면 번역 결과의 정확도를 높일 수 있겠다 생각했기 때문에요.

또한, IT 기업들이 집중되어 있는 지역인 판교에서 자주 사용되는 언어라고 해서 '판교 사투리'라는 단어가 생겨났듯이, 사람들의 언어문화는 나의 거주 지역, 활동 지역을 기반으로 형성되기 때문에 이러한 점을 반영하는 것이 중요하다 여겼어요.

최종적으로 설계된 포롱은 작은 새가 가볍게 날아오르는 소리를 뜻하는 순우리말로, 직장 내 청년 세대에게 경험의 폭을 넓히고, 지식의 성장을 이룰 수 있도록 하는 서비스 목표 의식을 비유하였어요. 이를 통해 직장에서 발생하는 세대 간 소통 문제를 본질적으로 해결할 수 있도록 최적의 어휘 학습 환경을 제공하고자 해요.

D.mo
김효정, 전우림, 최다빈,
송은별, 김소연

<u>청년층 우울감 해소를 위한 TTS 활용 서비스</u>

현대 사회에서 청년층 우울증은 지속적으로 심화되고 있는 심각한 문제이다. 20~30대의 청년층은 사회적 변화에 가장 민감한 세대로, OECD 국가 중 우울증 발병률 1위인 대한민국에서 34%가 넘는 비율로 우울증을 겪고 있다. 이는 디지털화로 사회적 관계 접촉 빈도가 낮아지면서 청년층의 사회 활동 시간이 줄고, 감정적 해소가 어려워지는 등의 이유로 인한 것으로 보인다.

우리는 이러한 청년층 우울증 문제에 대응하기 위해 '목소리'를 우울증 치료 수단으로 활용할 수 있도록 하고자 한다. 목소리는 인간 감정과 심리 상태를 표현하고 전달하는 강력한 수단으로, 개인의 감정과 느낌, 생각, 태도, 가치관, 행동 등을 표현하고 전달하는데 도움을 주며, 소리와 에너지를 통해 타인과 연결해 주는 역할을 한다.

더하여, '목소리'를 치료 수단으로 활용하기 위해 AI 기술을 모색했다. 딥러닝을 통해 발전된 TTS(음성합성기술)는 연예인 뿐만 아니라 사용자가 원하는 인물의 음성을 구현하는 것이

가능하며, Chat GPT와 같은 AI 챗봇은 사람과 자연스러운
대화를 나눌 수 있어 소통이 중요하게 작용하는 우울증 치료에

긍정적인 영향을 줄 수 있다. 이러한 기술은 실제 사례로 상담
AI 챗봇 테스(Tess)의 사용한 사람들의 우울증 증상이 감소
했음을 확인한 것으로써 사용자들의 우울증 증상 완화에 도움을
준다는 유의미한 영향을 확인했다.

리서치를 바탕으로 청년층이 외로움을 느끼는 이유와 우울감
해소에 있어 목소리가 긍정적인 영향을 미치는지, 그리고 AI
기술에 대한 가능성과 감정에 미치는 영향에 대해 사전조사로
확인하고자 했다. 사전조사는 익숙한 연예인 목소리로 구성된
음성을 TTS 사용 상황이라 가정하고 영상을 보여준다. 사전조사
결과 청년층은 혼자 있는 것에 외로움과 우울감을 느끼며 그
이유로 대화할 사람의 부재 등이 있었다. 우울감을 떨치기 위한
노력으로는 주변인과 대화 등 목소리와 같은 청각적 요소와
대화로 우울감을 개선시키고자 하였다. 첨부된 영상 시청 후
긍정적인 감정을 형성한 응답자가 47.7%로 과반수에 가까웠고,
안정감이 느껴져 편안하고, 쌍방향 소통 시 우울감 해소에 도움
이 될 것이라 응답했다.

사전조사를 기반으로 퍼소나와 사용자 여정 지도를 제작하여,
사용자는 우울감과 혼자인 것에서 오는 외로움을 해소하고
현재 내 상황에 대해 부담 없이 공감하고 소통할 수 있는 친숙한
대상이 필요하다는 인사이트를 얻었다. 또한 이해 관계자 지도를
통해 챗봇형 AI 서비스는 먼저 말을 걸어야 한다는 한계와
생생하지 않다는 문제점, 친숙한 지인은 대화를 나누고 위로를

받고 싶지만 조건적, 제한적 한계가 있다는 문제점을 인지했고, 우울감 경험자에게는 챗봇형 AI 서비스와 친숙한 지인 간의 상호보완이 필요하다는 것을 알 수 있었다.

이에, 청년층 우울감 해소를 위해 TTS 음성 합성 기술을 활용한 서비스 D.mo(디모)를 제작하였다. 디모는 사용자가 대화와 위로를 받고 싶은 원하는 목소리를 직접 설정하면 사용자의 상황을 인지한 후 적절한 위로의 말과 대화를 제공한다.

서비스 디모는 Dear emotion, 소중한 감정의 약자이며, 캐릭터 모모는 서비스에 대한 진입 장벽을 낮춰주기 위한 디모의 캐릭터다. 본 서비스를 시작하게 되면 사용자가 원하는 대상의 음성 파일을 업로드 후. 딥러닝을 통해 컬렉션에 저장된 음성을 선택, 사용이 가능하다.

AI의 선제적 발화 기능을 포함함으로 해당 기능을 이용하고 싶지 않은 시간대는 별도 설정이 가능하도록 하였다. 적절한 시점의 선제적 발화를 위해 GPS 설정 기능을 부여했으며, 해당 기능을 통해 하루 일과 중 방문한 장소와 머물렀던 시간 등의 분석에 의해 개인 맞춤 메시지를 제공한다. 또한 스마트 워치와 연동하여 심박수를 측정해 대화에 반영한다.

사용자의 상태를 인식한 기기는 위로의 선제적 발화를 하고, 발화되는 음성을 텍스트 형식으로 동시 제공한다. 사용자가 발화 중에 음성을 인식하여 동시에 텍스트화한다. 대화의 몰입감을 높이기 위한 수단으로 블루투스 조명 스피커와 연동 이용이 가능하도록 디자인하였다.

이후 실증적 검증을 위해 SUS 검증을 진행했다. 실험 결과,
결과값이 91.03으로 긍정적인 평가를 받아 쓸만한 수준임을
확인했으며 더 나은 인사이트를 도출하기 위해 서술 형식의

설문을 추가로 진행했다. 개인화된 감정적인 경험 제공하는
차별성, 높은 편의성과 접근성에 의한 만족도, 몰입을 위한
자연스러운 구현을 제공하는 실현성을 제공해 줄 수 있는
서비스임을 확인할 수 있었다.

해당 서비스는 이론적인 측면에서 음성을 활용할 수 있는
새로운 관점의 가능성과 다양한 우울감 해소 관련 서비스에
적용될 수 있는 가능성을 제시한다. 실증적인 측면에서는 AI
대화 기술을 활용한 우울감 해소 서비스의 실현 가능성과
디지털 의료 분야에서 기술 활용을 촉진하고 새로운 사용자
경험 제공 가능성을 보여주고 있다.

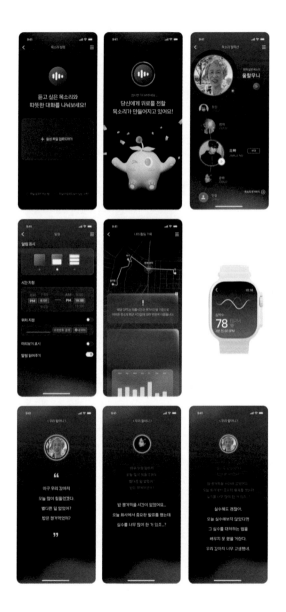

Health me!
김나영, 이수민, 조의정

<u>고립된 1인 가구를 위한 소셜 헬스 케어 챌린지 서비스</u>

우리나라는 급격한 사회적 변화로 인해 1인 가구가 빠른 속도로 증가하고 있다. 1인 가구란, '1명이 단독으로 생계를 유지하고 있는 생활 단위'를 말하며, 이들은 사회적 고립과 우울증에 쉽게 노출된다. 1인 가구 수가 증가함에 따라 이들이 겪는 외로움도 사회적 이슈로 대두되고 있다. 1인 가구는 외로움이 사회적 고립감과 우울증으로 발전할 확률이 다른 가구에 비해 상대적으로 높다. 사회적 고립과 정신질환은 자칫 고독사로 이어질 수 있다. Health me! 는 정교하고 사용자화된 스마트 거울을 이용한 홈 트레이닝을 통해 꾸준한 운동 습관을 형성하도록 돕는 서비스다.

1인 가구의 정서적 형태와 운동 챌린지의 필요성에 대해 파악하기 위해 필드 리서치를 진행했다. 1인 가구는 다인 가구에 비해 더 큰 외로움을 느낀다고 답했으며, 주로 즐겨하는 운동은 홈트, 헬스, 걷기, 러닝 순으로 응답했다. 챌린지 실패의 원인은 목표 설정의 어려움과 동기부여의 부재, 귀찮음, 생활 패턴과 조율 등으로 응답했다.

리서치를 바탕으로 1인 가구의 특성상 일상생활의 관리와 운동 참여가 어렵다고 판단했고 문제점을 바탕으로 서비스의 목표와 기능을 기획하였다. 함께하는 챌린지를 통해 꾸준하고 즐겁게 운동할 수 있게 도와주고, 시간에 구애받지 않고 전문적인 헬스 케어가 가능하게 한다. AI 동작 인식 기능 센서를 보유한 스마트 미러를 접목한 소셜 헬스케어 챌린지 서비스인 헬트미를 통해 이를 개선하고자 하였다.

제안하는 서비스는 1인 가구가 활력 넘치고 건강한 삶을 만들어 나갈 수 있도록 하는 데에 가치를 둔다. 첫 번째, 고립된 사회 망을 가지기 쉬운 1인 가구를 세상과 연결하고 소통망을 형성 한다. 두 번째, 홀로 과제를 지속적으로 수행하는 데에 어려움을 겪는 이들에게 동기를 부여한다(Motivating). 세 번째, 1인 가구의 무기력한 일상생활에 활력을 부여하여 우울증 및 자살을 예방한다.

서비스의 네이밍은 도와주세요! 를 의미하는 help me! 와 건강을 의미하는 health를 결합한 Health me! 로, 정신적으로나 육체적으로 고립된 1인 가구의 건강을 구제한다는 의미를 지닌다. 심볼은 운동할 때 자주 접하는 아령의 형상을 모티프로 삼아 헬스케어 서비스임을 알린다.

Health me! 홈에서는 다양한 트레이닝 영상을 모아보고, 타 사용자들과 운동 루틴을 공유할 수 있다. 원하는 운동 부위를 간편하게 검색하고 자신의 운동 루틴을 계획할 수 있으며, 자신에게 적합한 영상을 추천받으며 맞춤형 운동을 시작할 수 있다. 서비스에서 제공하는 트레이닝 영상은 스마트 미러 연동을 통해 집에서 편하게 시청하며 보다 전문적인 운동이 가능해진다. 스마트 미러 기능에서는 사용자의 운동을 더욱 즐겁고 몰입도 있게 만든다. AI 동작 인식 기능 센서를 통해 사용자의 움직임을 감지하고, 운동하는 과정을 게임처럼 즐길 수 있다. 홈의 나의 운동은 자신의 건강 습관을 기록하고 이를 통해 운동량, 칼로리 분석 등의 정보를 받을 수 있다. 오늘의 루틴을 기록하고, 달성률을 확인하며 성취감을 통해 지속적인 운동 습관을 형성할 수 있도록 한다. 더 나아가 사용자 맞춤형 루틴을 제공하고 이를 사용자가 쉽게 편집함으로써 루틴을 설계하는 데에 어려움을 겪는 사용자들을 도와준다.

챌린지는 다양한 맞춤형 챌린지를 추천하며 사용자가 챌린지 참여를 통해 건강을 위한 실천을 할 수 있도록 한다. 타 사용자와 소통하고 함께 챌린지를 달성하며 사회적 소통망을 형성하도록 도우며 운동 습관을 형성할 수 있도록 한다. 챌린지 달성, 배지 제공, 순위 도출, 운동 피드백 등을 통해 사용자가 운동에 대한 의지와 동기를 형성하고 서비스를 지속적 사용할 수 있도록 한다. 원하는 챌린지가 제공되지 않는다면, 챌린지를 직접 제작하고 목표 공유를 통해 함께 도전한다. 서비스의 대표 캐릭터인 헬티는 사용자의 챌린지 달성, 동기부여, 정보 제공의 역할을 하며, 사용자와 정서적인 공유를 한다. 사용자는 캐릭터와 소통할 뿐만 아니라 타 사용자와 정보를 공유하고 메신저를 통해 소통할 수 있도록 한다.

Health me!는 지속적으로 증가하는 1인 가구의 사회적 고립감과 우울증, 그리고 자칫 잘못하면 고독사로 이어질 수 있는 위험성을 예방한다. 1인 가구 또는 서비스 사용자가 지속적인 운동 습관을 형성하며 보다 전문적이고 즐거운 운동 생활을 할 수 있도록 돕는다.

No.1225
김규희, 박채영, 정서연

<u>알파세대를 위한 뉴트로 커뮤니케이션 서비스</u>

우리 프로젝트는 알파 세대에게 제공할 가치에 중점을 두고 진행되었다. 코로나 이후 언택트 시대에 자란 디지털 세대는 비대면 소통에 능숙해졌다. 특히 초등학생들은 코로나로 2년간 온라인 교육을 받으며 오프라인이 아닌 온라인에 최적화된 독특한 환경에서 성장해 왔다. 대면 소통 경험이 적은 아이들의 성장이 사회성 발달에 어떤 영향을 미칠지에 대한 가설을 세우게 되었다.

대면 소통을 하던 아이들과 비교했을 때 코로나로 인해 대면 소통이 어려워지면서 비대면 소통을 하는 아이들의 IQ 점수가 크게 하락한 결과를 확인했다. 이를 통해 과도한 온라인 소통이 사회성 발달과 인격 형성에 제약을 줄 수 있다는 사실을 알게 됐다. 현재, 코로나로 인한 언택트 시대가 끝났지만 이미 알파 세대는 비대면 소통에 익숙해진 상태다.

따라서 우리는 어떻게 하면 알파 세대에게 효과적인 온택트 서비스를 제공할 수 있을지에 대한 고민을 하였다. 알파 세대의 연구를 통해 '실질적인 만남의 부족', '얕은 소통 매체로의 의존', '개성과 일상 공유에 대한 욕구'라는 세 가지 가설을 세웠고, 이를 바탕으로 설문조사를 실시했다.

조사 결과, 편지를 주고받는 경험이 알파 세대에게 의미 있는
소통 방식으로 남았고 이를 더 선호하고 있다는 결론을 얻었다.
소통하는 방식은 많아졌지만, 사람에게 애정을 쏟는 시간의
부족과 공간은 한정적인 공간이라는 어려움이 발생하고 있다.

이에 NO.1255는 알파 세대에게 레트로 콘셉트와 아날로그
방식의 오프라인 영상 부스를 통해 소통의 새로운 경험을 제공
하는 목표를 가지고 있다. 사용자는 부스에서 1분가량의 영상을
촬영하고 편집하여 소중한 사람에게 전송한다. 상대방은 앱으로
알림을 받고, 자신의 위치 근처의 NO.1255 부스에 영상을 확인
하고 영상의 내용을 간직할 수 있다. 또한 앱을 통해 부스의
디스플레이를 꾸미거나 서로에게 감사의 마음을 전할 수 있다.

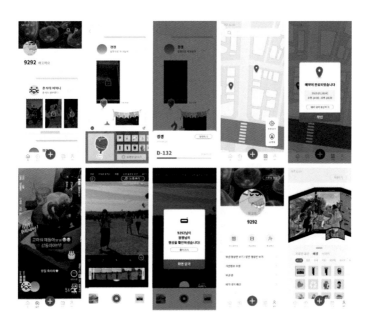

넷째,
2기 엑스포 '가을-겨울'

SUP : Summer Project, 자유롭게 생각해보기
2023년 하반기, 엑스포 프로젝트의 시작

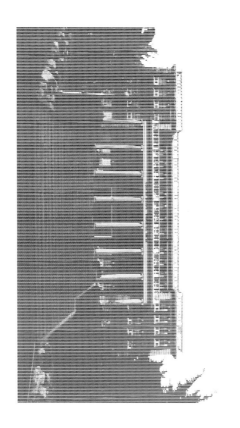

Bookin
이나리, 김민경, 윤재환, 윤채현

도서관 이용 서비스

최근 코로나 19 사태와 전자책의 발전으로 도서관 이용률이
감소하였다. 우리는 도서관 이용률을 높이고 사용자 경험 개선을
위해서 서비스를 기획하고자 합니다. 도서관 사용자들이 겪는
여러 가지 문제점을 분석했다. 이에 따라 프롬프트를 이용하는
책 위치안내 서비스를 제안합니다. 코로나로 인하여 실내에서
있는 활동이 늘어남에 따라 책 읽는 활동도 변화하였다.
오프라인 독서 활동이 아닌 온라인 독서 활동으로 트렌드가
바뀌었다.

결국 도서관의 이용자 수도 2018년 이후 약 2배 정도 급격하게
줄어들었다. 코로나로 지난해 도서관 방문자가 대폭 줄었지만,
1일 평균 대출량은 오히려 증가했습니다. 집에 있는 시간이
늘면서 독서에 투자하는 시간이 증가하였기 때문이다.

집에 있는 시간이 많아지면서 전자책을 읽는 수요도 증가하였다.
그러나 이렇게 읽는 것이 과연 좋을지에 대해 관련 기사를 조사
하였다. 조사결과 훑어보기가 표준인 디지털 기기에 읽는 전자
책의 경우 집중력을 분산시키고 종이책보다 많이 기억하지 못한
다는 견해가 있었다.

그렇다면 도서관에서 종이책을 읽는 것이 좋지 않을까 하는 생각에 저희 팀은 도서관 이용을 개선해야겠다고 생각했다. 이에 따라 사람들이 공공도서관을 이용하는 목적과 자주 방문하지 않는 이유, 불편했던 경험에 대해 조사하였다. 설문에 따르면 이용자들의 비율은 20, 30세대가 가장 높았고 40대가 뒤를 이었다. 도서관 이용 설문조사 결과, 이용자들은 책 위치 파악 어려움으로 인한 책 추천 서비스 부재, 번거로운 대출 및 반납 절차, 개인 부담감, 그리고 노후화로 인해 자주 이용하지 않음을 보여주었다.

2021년 KOSIS 도서관 이용 (성인) 통계에 따르면 도서관 이용을 제일 많이 하는 세대는 19~29세, 다음으로는 30~39세로 나타났다. 따라서 저희 7팀은 서비스의 메인 타깃 사용자는 10, 20대로 두고 서브 타깃 사용자는 30, 40대로 설정하였다. 타깃 층은 자신과 가장 가까운 도서관의 위치를 안내받기를 원했다. 이들은 도서관에 도착해서도 책을 고르느라 시간을 많이 소요하고 있다. 그리고 청구기호만으로는 책의 위치를 찾기 어려웠습니다. 도서관마다 시설의 차이가 심했고, 대출반납도 번거로워했다. 설문조사 결과를 통해서 사람들이 제일 어려워하는 것이 책의 위치를 찾는 것으로 밝혀졌다.

따라서, 저희 7팀은 주 타깃 층은 10, 20세대, 서브 타깃 층은 30, 40대로 설정하여 도서관 이용자들의 불편함을 해결하기 위해 도서 위치 MAP 서비스와 AI 개인 맞춤 도서 추천 서비스, 도서 배달 및 수거 서비스, 그리고 시설 평가 및 청결상태 표시 서비스를 제안한다.

아무래도 10, 20대가 주 메인 사용자다 보니 밝은 색감의
컬러를 주로 사용하였고, 글자크기도 너무 크기 보다는 보기
적당하게 알맞은 크기로 설정하였다. 마진과 커터 값은 통일시켜
정리되어 보이도록 설정하였다.

저희 앱의 네이밍은 'Book in'을 결합하여 'Bookin(부킨)'으로
읽는다. 이 디자인은 위치를 나타내는 그래픽 모티브와 책,
그리고 프롬프트와의 채팅을 보여줄 수 있는 그래픽 모티브를
융합하여 제작하여, 사용자에게 친숙하고 직관적인 인상을 준다.
앱 아이콘의 실루엣은 전체적으로 둥글고, 사용자에게 부드러운
인상을 주며, 친근하고 접근하기 쉬운 느낌을 전달한다. 또한,
부드러운 곡선은 우리 앱의 사용성과 친화성을 강조하며, 사용자
경험을 제공하기 위해 노력하고 있음을 시각적으로 나타낸다.

사용자들은 위한 정보위계 구성과 온보딩으로 쉽고 간편하게
앱 서비스를 이용하실 수 있다. 로그인의 경우 다른 서비스
회원정보를 사용해서 쉽게 로그인할 수 있다. 부킨은
최소한의 개인정보만 수집하며 여러분들의 소중한 개인정보를
지켜준다. 위치 정보 수집 등 항목에 간단한 동의만 하면 쉽고
빠르게 주변 도서관을 빠르게 추천해 드릴 수 있다.

메인화면의 경우 기존의 도서관 UI와는 다르게 서비스를 한
눈에 볼 수 있도록 디자인하였다. 사용자 위치 기반 도서관
안내 서비스, 도서에 부착된 바코드로 바로 서가 위치를 안내해
주는 서비스, 인기도서관을 둘러볼 수 있는 서비스, 도서관에서
열리는 행사정보까지 한눈에 알아볼 수 있다.

도서관에서 책을 찾는 메인 서비스의 경우 첫 번째로 집에서 도서관까지 간편하게 안내 해주고 도서관 안에서 책이 있는 책장 위치까지 안내해준다. 두 번째로 책장 몇 번째 칸에 있는지 안내 해준다. 세 번째로 사용자가 책장 앞에서도 책을 못 찾았을 경우 AR 기능을 사용하여 부킨과 함께 책을 찾아볼 수 있다.

부킨은 대출, 반납 서비스를 번거로워하는 서비스 이용자를 위해 쉽고 빠른 대출, 반납 서비스까지 도서관과 연계하여 제공한다. 이용자들이 원하는 도서를 선택하고 간단하게 결제하고 반납 수거 일정만 설정하면 편리하게 배송 서비스로 책을 대출, 반납 할 수 있다.

부킨은 AI 책 추천 서비스를 제공하여 채팅 형식으로 간단하게 질문하고 원하는 장르의 책이나 작가가 쓴 다른 소설 등을 추천 받을 수 있다. 또한 추천받은 도서를 소장하고 있는 도서관 책장 앞까지 안내를 도와준다.

마이 페이지에서 간단하게 내 정보를 확인하고 나의 대출도서와 반납도서, 도서 현황을 확인 할 수 있다.그리고 방문했던 도서관 리뷰 작성을 통해 사람들에게 도서관에서 느낀 점이나 개선할 점을 제시할 수 있다.

CUFIT
김경미, 전주현, 이희주, 김나영

<u>매일 색다른 데이트를 원하는 커플들을 위한 서비스</u>

반복되는 데이트 코스, 이제 새로운 활기가 필요합니다. 시간 맞추기도 어렵고, 매번 색다른 데이트 코스를 짜기도 힘들다. 연애에 대해 사회적으로 부담감을 느끼지만 포기하지 않는 많은 이들을 위해 전략적인 선택을 돕고자 합니다. 이러한 흐름에 주목하여 건강한 관계 맺기를 보다 효율적으로 돕는 생성 ai를 활용하여 연애 어시스턴트 프로젝트를 제안한다.

20-30 연인 사이 문제점을 조사한 결과 데이트 코스의 세부적인 계획을 짜지 않아 어려움을 겪었다 답했고, 성공적인 데이트라고 느끼는 상황은 데이트 장소, 활동이 서로의 취향과 성향에 맞을 때라는 것을 도출할 수 있었다.

상호 가치관과 취향을 고려하여 다양한 데이트를 즐기며 관계를 풍요롭게 하도록 세 가지 키워드를 추출하였습니다. 1. 더 알아가는, 2. 서로 맞춰가는, 3. 함께 연결되는 이 세 가지 키워드를 통해 상대방과의 관계 발전과 지속적 유지에 도움이 될 수 있도록 하였다.

경쟁사 분석에서 발견한 차별점을 강화하고, 고질적인 문제를 해결하기 위해 솔루션을 도출하였다. 데이트 일정 조율의 어려움은 공유 캘린더로 연인 간 데이트 일정을 조율합니다. 데이트 코스 계획의 부담감은 ai가 사용자 맞춤으로 데이트 코스를 추천한다. 찾기 어려운 적절한 데이트장소를 확장된 탐색과 빠른 스팟 저장으로 어려움을 해결합니다. 기록된 추억이 없어 아쉬운 점은 쉽고 간편하게 기록하고 그날의 추억을 보관한다.

큐핏은 사랑을 도와주는 의미의 Cufid와 사용자 맞춤형 서비스를 담은 Fit을 결합하였다. 큐핏은 처음 진입한 사용자 에게 보다 친절한 온보딩을 제공해 간편하게 서비스를 시작할 수 있게 돕는다. 간단한 절차를 통해 회원가입을 마치면, 연인 에게 초대장을 보내 서비스를 지속적으로 함께 이용할 수 있으며, 데이트 분석 테스트를 거치면 서로의 데이트 성향을 파악할 수 있는 성향 카드가 제공된다.

데이트 성향 분석을 토대로 사용자에게 딱 맞는 컨텐츠가 큐레이션 되는 홈 화면에서, 최상단의 가장 먼저 노출되는 맞춤 키워드를 통해 개인화된 니즈에 맞는 데이트 스팟을 확인하고, 바로 저장할 수 있다. 또한 다양한 메뉴 및 카테고리를 통해 색다른 데이트 스팟을 찾아보기에 용이하다.

큐핏의 캘린더는 평소 자주 사용하는 캘린더와 연동해 사용할 수 있도록 되어있다. 연동된 일정은 'ME' 모드에 저장되어 'DATE' 모드에서 두 사람의 스케줄이 비는 날을 추천해 주는데 사용되며, 두 모드 간의 이동은 우측 상단의 토글 버튼으로 쉽게 제어할 수 있다. 큐핏의 공용 캘린더는 프라이빗하고 편리하게

데이트 일정을 조율할 수 있게 도와주는 역할을 하며 기념일

알림과 함께 데이트 스팟 추천을 제공해 소중한 날을 더욱 소중하게 보낼 수 있도록 돕는다. AI 코스 생성에서 사용자가 원하는 무드, 음식, 비용, 시간 등의 정보를 입력하면 생성 AI가 입력된 정보를 바탕으로 3가지 버전의 데이트 코스를 자동으로 생성해 준다. 사용자는 원하는 스팟을 추가하거나 삭제한 뒤 해당 데이트 일정을 저장할 수 있다.

스냅은 다른 사용자들의 데이트 기록을 숏폼 형식의 영상을 통해 둘러보는 페이지다. 이를 통해 데이트 스팟의 생생한 후기를 알 수 있어 보다 적절한 장소를 탐색할 수 있다. 또한 큐핏에서 계획한 데이트 코스를 따라 데이트할 경우엔 GPS를 활용한 위치 추적으로 새로운 스팟에 방문할 때마다 까먹지 않고 추억 기록이 가능하도록 알림을 제공하여 스냅 제작이 용이하도록 돕는다.

아워 페이지는 서로의 프로필 및 함께 기록한 추억을 손쉽게 확인할 수 있도록 제작된 공용 마이페이지다. 이를 통해 상대방의 프로필을 조회해 연인의 데이트 성향과 음식 취향 등을 알 수 있으며, 월 단위로 업데이트되는 연애 리포트에선 한 달간 어떤 데이트를 가장 즐겨 했는지, 제일 많이 방문한 스팟은 어딘지 등을 알 수 있고 기록된 데이터를 통해 다음 데이트 때 방문하면 좋을 스팟을 추천해 준다.

스내킹
이한나, 박경민, 한홍주, 김도영

자기 계발 환급 팀 챌린지 서비스

바쁜 일상 속 자투리 시간을 조금 더 의미 있게 보내고 싶다는
생각, 해 보신 경험이 있나요? 저희 팀원들, 그리고 주변인의
경험담에서 출발하게 된 본 프로젝트, 스내킹은 사용자들이
자투리 시간을 활용해서 자기 계발에 낮은 접근성과 편리함을
스내킹으로 제공하고자 했다.

먼저 코로나 19 사태가 불러온 근원적이고 폭발적인 일에 대한
개인, 조직, 시스템 차원의 변화로, 재택근무, 하이브리드 근무,
자율 출퇴근제 등 노동시장의 판이 바뀐 것을 의미하는 시대의
키워드이자 백그라운드인, 오피스 빅뱅.

이러한 시대의 흐름 안에서 MZ 세대는 자기 계발에 집중 성향을
드러내고 있으며, 남는 시간에 자기 계발에 투자하는 문화인
스내킹 문화가 확산되고 있었고, 이런 흐름 속에서 사용자들은
해야만 하는 부담감을 가지게 되는 슈드비 컴플렉스를 겪기도
하며, 자기 계발에 대한 필요성을 느끼지만 스스로 하기에
스트레스를 받고, 어려워하는 사용자가 많은 것을 확인하였다.

그렇다면 어떻게 이들의 자기 계발 참여를 쉽게 이끌 수
있을까? 저희는 사용자 분석 및 리서치를 통해 협력으로 감정적,

물리적 참여를 통한 사회적 연대감을 쌓는 것이 긍정적인 영향 관계에 있다는 인사이트를 얻게 되었다. 따라서 같은 목적을 가진 크루원과 함께하는 환급 팀 챌린지 동기부여 서비스가 생긴다면, 의지가 약한 사용자도 자투리 시간에 자기 계발을 쉽게 진행할 수 있을 것이라는 가설을 세웠다. 직접 사용자의 의견을 듣기 위해 설문을 진행한 결과 실제로도 사용자는 자기 계발의 필요성을 느끼면서도 일정 관리 등의 이유로 실천에 어려움을 겪고 있었으며, 혼자 하는 것보다 같은 목표를 가진 사람과 함께 하는 것에 긍정적인 반응을 보였다. 이에 사용자는 같은 목적을 가진 크루원과 함께 물리적 참여로 볼 수 있는 환급 서비스를 추가한 환급 팀 챌린지 자기 계발 서비스가 생긴다면 도움이 될 것 같다는 긍정적인 반응을 보였다.

따라서 저희는 자투리 시간을 활용해서 자기 계발을 하고 싶지만, 스스로의 의자가 약한 사회 초년생들을 위해 의지 및 끈기를 키울 수 있고, 계획 및 일정을 쉽게 세울 수 있으며, 함께하는 자기 계발을 도울 수 있도록 집중했다.

그렇게 자투리 시간에 짧게 소비할 수 있는 문화를 일컫는 스낵 컬처에서 파생된 서비스의 네이밍인 '스낵킹'은 자투리 시간에 과자 대신 지식을 야금야금 먹어보자는 컨셉과 함께 귀여운 간식 캐릭터를 활용해 학습 관리를 도울 수 있도록 브랜딩 되었다.

최종적으로 타 경쟁사, 유사 서비스들을 분석해 보다 구체적인 서비스 구조화를 진행했으며 참여하고 싶은 챌린지를 서칭할 수 있는 기능과 원하는 챌린지를 직접 생성할 수 있는 기능을

제시했으며, 스스로 관리하기 어려운 사용자들을 위해 AI가 일정

등을 관리해 주는 AI 튜터링 기능도 제시했다. 또한 한눈에
오늘의 챌린지 목표를 확인하고 관리할 수 있는 기능과 스낵킹
유저들과 함께 챌린지 기록을 공유하고 소통하며 챌린지 의지를
키워볼 수 있는 기능을 함께 제시했다.

자기계발 환급 팀 챌린지 서비스인 스낵킹은 자투리 시간을
활용해서 자기계발을 하고 싶지만, 스스로의 의자가 약한 사회
초년생들의 자투리시간을 활용해 함께하는 자기계발을 응원한다.

유니토리
김가현, 김소연, 이재련, 조의정

<u>책을 읽지 않는 어린이들을 위한 AI 서비스</u>

최근 아이들은 여러 이유들로 책을 읽지 않아 자연스레 문맹률
난독률이 높아지고 있어 사회의 큰 문제로 다가오고 있다.
비고츠키 이론에서 나온 창의력 발달곡선에 따르면 아동시기가
창의력 발달에 아주 중요한 시기로 동화를 통한 창의성 발달,
언어 표현력 개발이 필요하다고 볼 수 있다.

동화를 통해 창의력을 증진시키는 과정에서 교육자, 그리고
아이들에게는 어떤 고민이 있을까? 어린이 7명과, 교육자 8명의
응답과의 심층 인터뷰를 통해 평소 동화를 활용한 교육에서
겪는 어린이와 교육자들의 니즈를 도출해 보았다.

첫째, 어린이들의 상상을 펼칠 수 있도록. 둘째, 참여형 콘텐츠로
재미를 주도록. 셋째, 학습에 도움을 주는 환경을 제공해 주도록.

AI를 활용한 참여형 동화 서비스를 만들고자 한다. 유니토리는
AI를 활용한 참여형 동화 서비스로 어린이의 상상을 펼치고
재미를 주면서 학습에 두움을 주는 환경을 제공한다. 사용된
AI인 '토리'는 아이들에게 있어 기계가 아닌 친구와 같은 느낌을
준다. '단 하나'를 뜻하는 'UNI'와, '이야기'를 뜻하는 'STORY'를

합쳐 단 하나뿐인 이야기를 만들어주는 '유니토리'가 탄생했습니다. 대표적인 콘텐츠로 나만의 동화 만들기, 그림일기, 친구와 함께 하는 독서 토론이 있다.

유니토리의 핵심 기능에 대한 설명을 볼 수 있다. 더 편리한 서비스 이용을 위해 튜토리얼 과정에서 사용자의 취향과 그림체를 등록할 수 있다.

평소에 그리던 그림들을 모아 사진을 찍고 등록하면 사용자의 그림체를 AI를 통해 분석하여 동화에 나오는 삽화 등을 나의 그림체로 체험할 수 있다. 여태까지 읽은 동화를 나만의 이야기로 재구성할 수 있어요. 다양한 이야기를 읽고 잠금 해제 해서 창의력을 펼쳐볼 수 있다.

오늘 날짜를 선택해서 하루 있었던 일을 내 그림체로 그릴 수 있다. 토리와 그리기를 선택하면 토리가 내 그림체로 대신 그려 주고 맞춤법도 교정해 준다. 나만의 이야기 만들기를 선택형 또는 서술형으로 만드는 방법을 고를 수 있다.

서술형을 선택했을 때 내가 이야기를 직접 적어가서 나만의 이야기를 만들어볼 수 있다. 기존 동화를 주제로 등장인물의 입장이 되어 친구와 함께 토론하며 상대방의 입장을 이해하고 언어능력을 향상할 수 있다.

그리고 사용자는 재밌게 읽었던 책, 기억에 남는 책 등을 중심 으로 토론할 동화를 선택해 실시간으로 친구들의 반응을 보며 이야기할 수 있다. 토론 주제의 당사자가 될 수 있어요! 친구와 함께 이야기 속 등장인물로 변신해 화상토론을 하며 의견을 나누어보도록 유도한다.

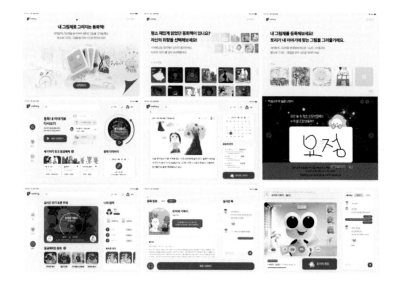

Memori
박성비, 도예나, 최다빈, 이수민

<u>반려동물과의 만남부터 이별까지, 소중한 추억기록 서비스</u>

우리나라의 반려동물 양육 가구 비율은 지속해서 증가하고 있으며, 반려동물 양육에 있어 피할 수 없는 상황인 반려동물의 죽음 이후에, 국내 반려인 중 절반이 펫로스 증후군을 호소한다고 한다. 펫로스 증후군이란, 반려동물을 떠나보낸 후 보호자가 느끼는 극도의 우울감이나 상실감을 말한다.

이는 극심한 우울증과 반려인이 일상생활을 하기 어려울 정도로 정신적, 신체적 영향을 줄 수 있기에 사전적 대비와 적절한 치료가 꼭 필요하다. 따라서 이별의 슬픔을 겪는 반려인들이 펫로스 증후군을 극복할 수 있도록 대비 및 치료할 수 있는 대안의 필요성이 대두되고 있다. 그러나 국내 반려인 중 89.2%가 펫로스 증후군을 대비하지 않고 있다. 우리는 해당 문제를 해결할 수 있는 방안의 서비스를 제안하고자 한다.

반려동물과의 이별의 상황에 있어 슬픔의 시작은 그리움과 더 좋은 추억을 만들어주지 못해 미안한 마음이 드는 아쉬움이다. 이처럼 반려인과 반려동물 사이의 이해관계에서 중요한 요인으로 작용하는 '기억'을 펫로스 증후군의 대비와 극복에 활용할 수 있도록 하고자 한다.

이에 반려인들이 반려동물과의 이별을 어떻게 받아들이는지, '기억'에 대한 니즈를 파악하기 위해, 반려동물과의 이별 경험을 가진 반려인 297명을 대상으로 설문조사를 진행했다. 떠나보낸 반려동물을 지속적으로 기억하고자 한다는 반려인은 76.5%로 높은 비율을 보였다. 기억하고자 하는 이유는 반려동물을 가족으로 생각하기 때문이라 했다. 추가로, 설문조사에 응했던 반려인을 대상으로 진행한 심층 인터뷰를 진행했다. 답변에서 이별을 경험한 반려인들은 떠나보낸 반려동물을 사진, 영상, 키링 등과 같이 다양한 물건과 매체를 통해 기억하고자 한다는 니즈를 확인할 수 있었다.

이를 통해 대부분의 반려인들은 반려동물과 이별 이후 우울 증상을 겪을 수 있으며, 함께했던 추억을 다양한 방법으로 기억하기를 원한다는 인사이트를 도출했다.

앞선 리서치와 설문조사, 인터뷰 내용을 기반으로 사용자들의 반려동물과 관련된 다양한 고민을 식별하고 이를 해결할 수 있는 방안을 구상했다. 펫로스 증후군을 사전에 대비하기 어려웠던 정보 부족 문제를 커뮤니티 활동으로 극복하고, 반려동물과의 특별한 순간을 만들어내기 위한 '펫킷 리스트'와 챌린지 활동을 제시하며, 보호자들의 특별한 굿즈 소장 니즈를 충족시키기 위한 추억 사진 앨범과 반려동물의 모습이 담긴 스노우볼 굿즈 제공을 추가로 제안하고자 한다.

이와 같은 해결방안을 구체화하여 GUI를 제안하기 위해 경쟁사 분석을 진행했다. 인스타그램, 마이버리, 반려생활 등의 경쟁사 분석 결과, 사용자들이 반려동물과의 추억을 상기시킬 수 있는 기능에 집중할 필요성을 확인했다. 이를 통해 메모리는 추억 활동 중심의 플랫폼으로 방향성을 설정했다. 사용자들은 반려동물과 함께 즐거운 시간을 보내기 위한 다채로운 활동을 제안하고 기록할 수 있으며, 이를 공유하고 소통할 수 있는 커뮤니티 공간이 제공된다. 이러한 커뮤니티는 사용자들이 추억을 함께 나누며 서로 감정적으로 연결되고, 특별한 순간들을 지속적으로 기억할 수 있도록 도와줄 것이다. 서비스의 목표는 반려동물과 반려인 사이의 감정적 유대감을 강화하고, 사용자들이 소중한 순간들을 보다 풍부하게 기억할 수 있도록 하는 것이다.

브랜드 컨셉은 단어 'Memory'를 중심으로 진행했다. Memo (순간을 기록하고)+Memory(추억을 되새기며)+Mori(이별을 아름답게)라는 뜻을 담아 네이밍을 선정했다. 로고는 "너와의 추억을 기억할게"라는 슬로건에 맞게 연필로 기록하는 듯한 그래픽으로 표현했으며, 브랜드 색상은 따스한 색감의 메모리 옐로우 색상과 메모리 멜론을 사용해 브랜드 아이덴티티를 구축했다.

어플의 정보구조도는 스플래시, 온보딩, 회원가입/로그인, 반려동물 등록 순서로 뎁스를 설정했으며, 네비게이션 바는 홈, 펫킷 리스트, 탐색, 나의 피드로 구성해 사용자가 원하는 정보를 빠르고 정확하게 검색하고, 정보와 정보 사이의 이동을 원활하게 도울 수 있도록 했다.

온보딩은 스플래쉬 화면을 지나 반려동물과 함께하는 펫킷 리스트, 반려동물과 함께한 기억을 간직하는 추억 앨범, 나만의 스노우볼 제작을 설명하는 페이지로 정리했다. 이들은 온보딩을 통해 나의 정보와 더불어 반려동물의 정보까지 기입해 메모리의 재밌는 컨텐츠를 더욱 즐길 수 있도록 진행했다. 또한 홈에서는 다른 반려인들이 반려동물과 함께한 추억을 피드로 살펴볼 수 있게 해 나의 반려동물 말고도 다른 이들의 추억까지 공유할 수 있도록 설정했다.

주요 기능으로는 홈에서 피드, 오늘의 추억, 실시간 인기글이 있으며, 펫킷 리스트에서는 나의 펫킷, 추천 펫킷, 핫 키워드, 펫킷 리스트 Tip, 탐색에서는 핫 플레이스, 나의 피드는 프로필과 쪽지 등이 있다.

주요 기능인 커뮤니티에서는 반려인들과 정보를 공유하고 서로의 이야기에 공감할 수 있는 기회를 제공하도록 화면을 구성했다. 사용자들이 컨텐츠별로 접근하기 쉽도록 건강, 푸드, 교육/훈련, 무지개다리 등 총 5가지의 카테고리로 나뉜다. 또한 반려동물과의 행복한 추억을 상상하며 이뤄나갈 버킷 리스트를 뜻하는 펫킷 리스트를 작성하고 이룰 수 있다.

직접 나만의 펫킷 리스트를 직접 작성하고 실행하며 활동 내역을 기록할 수 있으며, 다른 사람들도 함께 참여할 수 있는 챌린지 형식 또한 형성 가능하다. 이는 먼저 챌린지를 완료한 반려인의 실제 후기를 보며 정보를 얻을 수 있다.

나의 피드는 반려동물과 함께 펫킷 리스트를 실천하며 쌓았던 추억을 사진으로 기록하고 추억앨범으로 저장하는 공간이다. 정사각형 형식의 피드가 쌓이면 스크롤 하며 볼 수 있다. 이에 반려인의 기호에 맞게 추억이 담긴 사진을 선택하고 어울리는 배경음악을 선택해 추억 앨범을 제작할 수 있다. 사용자가 제작한 추억 앨범에 알림을 설정하면 반려동물과 함께 했던 추억의 사진과 함께 특정 날짜에 팝업 알림을 받을 수 있다.

메모리얼 카드는 다른 반려인들과 소통할 수 있는 기능 중 하나다. 메모리에서 제작한 다양한 테마의 카드 편지지를 활용하여 다른 반려인에게 전달할 수 있고, 사용자가 직접 제작하여 응원 메시지나, 격려의 메시지를 전달할 수 있다.

마지막으로, 메모리얼 스노우볼 제작화면이다. 펫킷리스트 활동을 15개 이상을 완료한 사용자에게는 반려동물과의 추억이 담긴 스노우볼 굿즈를 제공한다. 해당 스노우볼은 4계절 중 사용자가 간직하고자 하는 계절을 선택하고, 스노우볼의 유리 안에 담고 싶은 반려동물의 사진을 지정하면 AI가 반려동물의 모습을 캐릭터화한다. 이러한 과정으로 제작된 특별한 스노우볼을 통해 반려동물과의 추억을 회상할 수 있다.

이를 통해 사용자들이 메모리 서비스를 통해 반려동물과 함께한 순간들을 기록하고, 이를 공유함으로써 특별한 추억을 만들어갈 것이다. 이에 그치지 않고, 말로 설명할 수 없는 슬픔인 펫로스 증후군을 추억 형성과 상기를 통해 예방하고, 극복할 수 있기를 기대한다.

Murmur
여지민, 배수현, 전우림, 정서연

음성 다크데이터를 활용한 AI 정신건강 분석 서비스

우리나라의 우울증 발병률은 36.8%로 OECD 국가 중 가장 높은 발병률을 가지고 있음에도 불구하고, 치료를 받은 경험은 불과 39.1% 밖에 되지 않아 정신건강에 대한 낮은 인식 수준을 확인할 수 있었다. 우울증은 조기에 치료 시 거의 완치 가능하나, 많은 한국인들은 우울증을 병으로 인식하지 않아 적절한 치료를 받지 못하는 경우가 많다.

이에 컴퓨터가 음성, 표정, 체온 등의 생체 신호를 분석하여 심리상태를 파악하는 감성 정보통신 기술 (ICT)을 활용하여 병식을 돕고자 하였다. 본 프로젝트에서는 생체 신호 분석 대상을 음성 신호로 한정한다. 또한 최근 사물 인터넷(IoT)이 발달하며 다크데이터의 양이 크게 증가할 것으로 예측된다. 다크데이터란 정보를 수집한 후 활용되지 않는 데이터로 전체 데이터 중 약 80%를 차지하여 이를 적극적으로 활용할 필요성이 증대되고 있다.

본 프로젝트는 기존의 ai 음성 스피커가 보유하고 있는 음성 다크 데이터의 생체 신호를 분석하여 사용자의 심리상태 파악을 돕고자 한다.

설문조사와 심층 인터뷰를 통해 응답자가 느끼는 우울감과 심리 상태에 대해 조사하였다. 우울, 스트레스 등의 정신적 어려움을 자각하지 못했던 경험에 응답자의 80%가 그렇다고 답하였다. 또한 심리상태의 변화 및 진척사항을 명확히 알지 못해 답답했던 경험에 대해 80%가 그렇다고 답하였다. 정신적 문제에 대한 빠른 파악과 치료 등의 관리가 진행될 때 변화되는 상황에 대한 실시간 정보전달이 필요함을 확인할 수 있었다. 설문조사와 심층 인터뷰를 통해 파악한 사용자의 니즈를 정리하면 다음과 같다. 일상 속에서 심리 상태를 체크하고 전문적인 케어와 간편하게 연계할 수 있어야 한다. 병원에 방문하지 않고도 자신의 심리상태와 진척사항을 파악하고 이에 맞는 개인화된 솔루션이 필요하며 부담 없이 속마음을 이야기할 수 있는 대상을 원하고 있었다.

정신질환의 치료 형태에 대해 고민을 하는 사용자를 설정하여 사용자의 심리상태와 주변 환경에 따라 2개의 퍼소나를 설정하고 그에 따른 감정여정지도를 제작하였다. 부담스럽지 않고 간편하게 정신건강을 챙기고 싶어 하는 22세 강수연 학생의 퍼소나를 통해 부담 없이 정서상태를 털어놓을 수 있는 믿을 만한 대상을 제공해야 할 점을 도출 해냈고, 일상 속에서 정신 상태를 체크하는 형태의 전문적인 케어가 가능한 대상이 필요한 점 또한 알 수 있었다. 병원을 직접 방문하지 않고도 상태를 파악하고 치료를 받고 싶어 하는 31세 이태구 직장인의 퍼소나를 통해 병원 방문 없이 자신의 심리상태와 진척사항을 파악할 수 있는 기능이 필요하다는 점과, 심리 상태를 파악하고 그에 맞는 솔루션을 제공하는 기능이 필요한 점을 확인했다.

본 프로젝트 내에서 주요 관계자인 병원, 서비스, 사용자를 이해 관계자 맵을 통하여 비교하고 연결점을 찾았다. 병원과 서비스 간의 관계 사이에서 환자들의 심리치료 장벽을 완화시켜줄 수 있는 '환자 연계 서비스'를 발견해냈고, 서비스와 사용자 간의 관계 사이에서 객관적 심리 데이터 분석 자료를 이용한 '비대면 서비스를 통한 효율성'을 기대할 수 있었다.

퍼소나와 이해관계자 맵 프로세스를 바탕으로 사용자들의 니즈를 파악하여 4가지로 정리해보았다. 첫 번째로 일상 속에서 심리 상태를 체크가능 한 전문적인 케어가 가능한 점, 두 번째로 병원 방문 없이 자신의 심리상태와 진척사항을 파악할 수 있어야 한다는 점, 그리고 세 번째로 부담 없이 정서상태를 털어 놓을 수 있는 대상이 필요하다는 점과, 마지막으로 심리상태를 파악하고 그에 맞는 솔루션이 가능해야 한다는 부분을 발견했다.

본 프로젝트의 서비스는 병원이 부담스러운 현대인을 위한 '음성 다크데이터를 활용한 AI 정신건강 분석 서비스'로 정의 내렸고, 서비스는 ai 기기로 수집한 다크데이터를 통해 분석한 실시간 나의 감정을 제공하며 'murmur'를 통한 비대면 진단을 수반 한다. 뿐만 아니라 사용자 본인의 진척사항을 이전 분석과 비교 하여 호전된 추이를 정리한 내용을 제시 해준다.

서비스 시나리오를 통하여 기존의 사용자들이 경험했던 문제점을 해결해 줄 최종 솔루션을 정리하였다. AI 음성 분석 시스템은 사용자의 일상 속에서 음성을 수집하고 분석하여 객관적인 자료를 제공함으로써 간편하게 개인의 감정을 파악 할 수 있게끔 돕는다. 구체 심리지표와 전문가 컨택이 가능한

점은 분석한 결과를 수치화를 통해 정리하고 사용자에게

적합한 전문가를 추천함으로써 보다 더 전문적인 진단을 실현
한다. 실시간 사용자 상태 정보 제공의 기능은 실시간 정신 건강
분석 리포트를 제공하여 현 상태를 바로 파악할 수 있게끔 지원
하며, 비대면 상담과 진단 기능 또한 주기적 병원의 방문에
어려움을 겪는 사용자에 대한 문제점을 보완한다. 'murmur'만의
감정 캘린더와 AI 분석 진척사항 정보제공 서비스는 캘린더의
시각적 형태를 통하여 이전의 기록과 비교가 가능하게 하고, AI
기록 분석을 통해 진척사항을 제시한다. 또한 분석한 진단을
바탕으로 사용자에게 맞춤 솔루션을 추천하고 실행할 수 있도록
일상 속 솔루션 챌린지를 제공하여 사용자에게 좀 더 친근하고
쉽게 다가가는 서비스를 구축하였다.

Murmur는 속삭임을 나타내는 의성어로 마음속의 대화나
불안한 생각을 묘사한다. 사용자의 마음 속 속삭임을 표현한
주파수와 알약의 둥근 형태를 결합하여 로고를 디자인했다.

사용자들이 쉽게 접근할 수 있고 편리한 사용성을 가진 휴대폰
앱으로 프로토타입을 제작하였다. 온보딩 화면에서 다크데이터를
분석하는 과정을 안내하고 데이터 활용 동의를 구하여 민감할
수 있는 사용자의 내면을 보다 안전하고 간편하게 활용한다는
점을 미리 고지한다.

메인 화면에선 사용자의 실시간 감정 분석 내용을 한눈에 볼 수
있게 그래프로 정리하여 제공한다. 분석 결과를 통해 사용자는
스스로 파악하기 어려운 자신의 감정과 증세를 쉽게 이해할 수

있다. 실시간 감정뿐 아니라 감정 캘린더를 통해 한 달간의 감정을 파악하며 감정의 변화와 정서적 진척 사항을 볼 수 있다.

Murmur는 병원에 방문하는 것이 부담스럽고 무서운 사용자를 위해 프라이빗한 개인감정 상담소를 제공한다. 사용자는 현재 본인의 상태를 분석한 진단서를 받고 전문가와 1대 1 대화를 통해 솔루션을 제공받을 수 있다. 또한 사용자의 시야와 사고를 자연스럽게 열어줄 수 있는 정보 채널을 제공하여 더욱 유익하고 흥미로운 지식을 쉽게 얻을 수 있다.

마이페이지에서 사용자의 음성을 수집할 기기인 Murmur에 목소리를 등록하여 개인화시키는 과정을 진행할 수 있다. 블루투스 설정 후 화면에 표기된 문장을 기기에 입력시키며 일상 속에서 사용자의 목소리를 정확하게 수집할 수 있도록 사용자의 음성을 학습시킨다.

Murmur 기기는 로고의 형태와 유사하며 사용자가 오브제로 활용할 수 있도록 귀엽고 친근하게 디자인했다. 사용자의 일상 속 인테리어에 자연스럽게 녹아들어 의식한 목소리가 아닌 사용자 본래의 말투와 음성을 수집하고 분석한다.

136

매빗
김경욱, 김규희, 이서희, 이은서

<u>시각장애인을 위한 맞춤 길찾기 프로젝트</u>

사람에게 스마트폰의 기능 중 가장 중요한 것을 묻는다면 지도라고 답할 것이다. 그러나 길을 찾는 데 취약한 시각장애인을 위한 맞춤 지도 서비스가 부족하며 현 지도 앱들은 비장애인에 초점이 맞춰져 있다. 한국의 시각 장애인은 해가 지날수록 증가하고 있으며 장애인의 이동권에 대한 관심도가 높아지고 있지만, 여전히 시각장애인의 이동 과정은 그들에게 큰 걸림돌이다. 이러한 현황을 개선하기 위해 매빗은 시각장애인을 위한 길찾기 서비스를 UI와 제품 두 가지 방식으로 제시한다. 초행길인 경우와 아닌 경우를 바탕으로 서비스 목표를 설정했다.

첫째, 보도 가능한 길에 음성과 텍스처로 안내 해준다. 둘째, 카메라와 로드뷰를 대조하여 현재 위치를 추적하여 길 안내를 해준다. 셋째, 지팡이에 달린 카메라를 통해 전방 AI 분석으로 장애물을 탐지해 더 안전한 보행을 도와준다. 장애인의 수동적인 인식을 벗어나 사용자가 혼자서도 안전하고 능동적으로 이동할 수 있도록 편리하게 서비스를 제작했다.

138

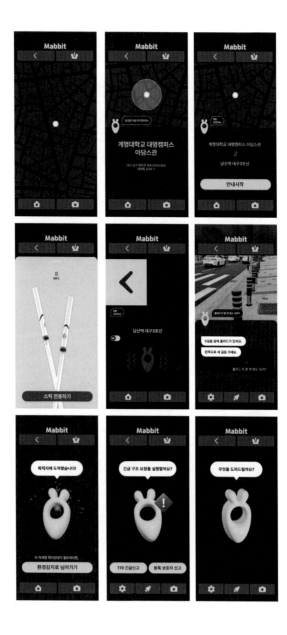

오비즌
권민지, 박채영, 송은별, 최은우

<u>당신의 잠의 궤도에 정착하세요</u>

여러분들은 잠을 잘 자고 계신가요? 수면은 회복, 에너지 보존,
기억, 면역, 감정 조절 등에 큰 도움을 주는 역할을 하는데요.
코로나 이후 수면 장애를 겪는 사람들이 약 20%가량 높아
졌다고 해요. 이러한 수면 장애의 요인은 크게 심리적 감정,
카페인 섭취, 디지털 기기 사용으로 볼 수 있었어요. 특히, 20대
에서 이러한 불면증 현상이 가파르게 증가하고 있는 추세죠.

이에 따라, MZ세대는 개개인의 적절한 수면 방식을 찾기 위해
매트리스, 무드등, 향초, ASMR 등을 통해 자신만의 루틴을 찾아
수면의 질과 만족도를 높이려 하고 있었어요. 특이하게도,
약물적 치료보다 유튜브를 통한 백색 소음 영상에 많은 도움을
받았다는 일각의 의견들도 발견할 수 있었어요. 유튜브에서
최첨단 NASA 수면실이라는 제목의 ASMR 영상을 본 적이 있으
신가요? 마치 우주선에서 잠을 자는 것과 같은 착각을 불러
일으켜 화제가 되었던 영상이에요. 저희는 이러한 흥미로운 광경
에서 실제 우주에서 생활하는 우주인들은 최고의 수면을 하고
있을지에 대한 궁금증이 생겼어요.

결론적으로 우주에서 잠을 푹 자는 것은 불가능하다고 해요.
우주인들의 수면 장애의 주 요인은 빛과 소음이라고 하는데요,

우주정거장은 90분마다 지구를 한 바퀴씩 회전한다고 해요.
이 과정에서 다양한 빛에 노출되기 때문에 수면에 큰 방해를
받는다고 합니다. 빛뿐만 아니라, 우주선 내에서는 늘 기계가
돌아가 소음이 발생하기 때문에 잠을 자기 어려운 환경이래요.

그렇다면, 그들은 어떤 방법으로 수면을 개선하고 있을지 궁금해
졌어요. 대표적으로 NASA는 우주 비행사들의 적절한 수면
유도를 위한 연구를 끊임없이 하고 있었는데요, 수면의 질을
높여주는 멜라토닌이라는 호르몬을 촉진시키는 백색광의 LED
조명을 우주선 내에서 사용하고 있다고 해요. 이러한 점을 활용
하여 지구에서 우리가 아침에 해가 뜰 때 햇빛을 받고, 잠에 들
때 빛을 줄이고 어둠에 노출되듯이 저희는 수면 장애를 겪는
이들을 위해 하루동안 시간의 흐름에 따라 색상과 빛의 강도가
변화하도록 설계할 필요가 있다고 판단했어요.

따라서 저희는 불규칙한 수면 패턴과 막힌 생활환경을 원인으로
건강한 빛의 흡수와 숙면을 잃어버린 이들을 위한 생체 시계
리셋 서비스를 제안하고자 했어요.

이에 시장에 나와있는 많은 수면 앱 중 가장 활용도가 높은
세 가지 앱을 선정하여 팀원들이 약 3일간 사용해 본 결과, 모든
서비스가 기본적인 수면 시간, 수면 분석, 알람 기능을 제공
하지만 사용자의 수면 분석 결과에 대한 활용 방법은 제공하지
않고 있었어요.

그래서 실제 수면 장애의 경험이 있는 180명을 대상으로 온라인
설문 조사를 진행했어요. 그 결과, 사람들은 잠을 자기 위해

크게 무드등, ASMR, 운동, 침구 변화 순으로 개선을 시도하였고, 수면에 방해가 되는 요인에 대해 나만의 편안한 공간적 수면 환경 조성이 어려운 점을 꼽았어요. 더 구체적인 어려움을 겪는 상황을 듣고자, 심층 인터뷰를 진행했더니 다음과 같이 분류할 수 있었어요. 1)수면 이전 제대로 된 스케줄 관리가 안 되어 수면 시간에 지장이 가는 점, 2)컨디션이나 휴대기기로 인해 수면에 집중하기 어려운 점, 3)예민한 성격으로 인해 수면의 질이 낮아지는 점이었어요.

이렇듯 각자 다른 상황과 이유로 수면 사이클이 무너져 제대로 된 수면을 취하고 있지 못하고 있음을 확인할 수 있었고, 저희는 수면 사이클을 만들 수 있도록 도와주는 서비스가 필요하다 생각했어요.

그래서 저희 서비스의 메인 타겟을 많은 과제량과 불규칙한 생활 루틴으로 인해 수면 패턴이 잘 잡혀있지 않은 디자인과 대학생으로 설정하였고, 서브 타겟을 입사 이후 완전히 바뀐 생활 패턴과 수면에 집중을 방해하는 요인들로 인해 수면의 질이 좋지 않은 사회초년생의 직장인으로 설정했어요.

종합적으로, 그들에게 하루동안의 적정 빛을 노출시켜 자연스러운 잠을 유도하기 위해서는 무드등이라는 제품을 활용하는 것이 좋겠다 생각하였고, 사람마다 수면 상황과 장애 요인이 다름을 고려해 개인 맞춤형 솔루션을 제공해야겠다 판단했어요.

그리하여 탄생한 저희의 서비스 오비즌은 궤도를 뜻하는 Orbit과 편안함을 뜻하는 Zen의 합성어인 Orbitzen이라는 이름으로,

수면 사이클을 궤도에 빗대어 편안한 수면을 통해 자신만의 궤도를 찾아갈 수 있다는 의미를 담았어요. 또한, 오래된 우주선 생활로 수면 노하우를 가지고 있는 우주인을 메인 마스코트로 설정하여, 궤도에서 떨어진 소행성에게 솔루션을 주는 브랜딩으로 완성하였어요.

먼저, 사용자와 오비즌을 연결시켜 줄 수면 무드등 O 램프를 소개할게요. 서비스를 구현해 줄 핵심 프로덕트로, 행성의 헤드 부분을 터치하여 모드를 전환해요. 여기서 모드란, 사용자가 미리 지정한 백색 소음과 조명을 말해요. 취침 시간에 맞추어 자동으로 모드를 활성화시켜 수면을 유도하고, 잠의 깊이와 소음에 따라 자동으로 조절이 되어 편안한 잠을 잘 수 있도록 했어요. 또한, 아침과 저녁에 따라 적정 빛의 강도와 색상을 반영해요.

서비스 사용에 앞서, 사용자가 친근함을 느낄 수 있도록 우주인이 주요 서비스를 소개해요. 그런 다음, 테스트 페이지를 통해 수면 시간, 취침 준비 과정 등을 체크하며 나의 수면 방해 요인에 대해 고민해 보도록 했어요.

본격적으로 수면 궤도를 찾기 위해 홈 화면에서는 저장된 나의 모드를 확인할 수 있도록 구성했고, 내가 저장한 조명과 백색 소음이 담긴 무드 폴더를 확인할 수 있도록 했어요. 더하여, 그날의 컨디션이나 상황에 따라 만들어 둔 조명을 더 세밀하게 조정하여 사용할 수 있어요.

무드를 만들기 어렵다면, 수면 분석 결과를 기반으로 나만의

수면 무드를 추천받거나, 수면 팟 라이브를 통해 나와 유사한
궤도에 있는 사람들과 수면 모드를 공유하도록 했어요. 이 외에,
수면 전 스케줄 관리가 가능한 수면 캘린더, 부가적인 수면
고민과 정보를 나눌 수 있는 커뮤니티, 수면에 대한 개선 현황을
확인하고 성취도를 파악하기 위한 레벨 제도 등을 통해 더욱
즐거운 수면 관리가 가능하도록 제공해요.

144

퐁당
윤예원, 이주원, 박진희, 이채은

<u>소비의 웅덩이에 빠졌다면 함께해요</u>

스트레스를 받을 때마다 자꾸만 불필요한 지출을 하는 우리.

내가 스트레스를 받지 않았다면 쓰지 않았을 비용이라는 뜻의
'시발비용'이라는 신조어가 생겨날 만큼 감정소비는 청년들
사이 큰 문제로 부상되고 있다.

세부적인 인사이트를 도출해 내기 위해 청년세대 100명을 대상
으로 한 설문조사 결과, 과소비를 경험한 적 있는지 묻는
질문에 95퍼센트의 사람이, 과소비를 하고 난 후 후회했던
경험이 있는지 묻는질문에는 80퍼센트의 사람이 그렇다고
답했다. 이렇듯, 대부분의 사람들이 충동소비와 스트레스로 인해
과소비 문제를 겪고 있으며, 그로 인한 정신적 스트레스를 받고
있음을 알아냈다.

그렇다면 다양한 사람들과 함께 소통하며 과소비를 막고, 절약을
할 수 있는 서비스가 있다면 어떨까? 절약을 돕는 서비스를
기획하기 앞서, 서로 소비한 내용을 이야기하고 함께 절약하는
카카오톡 채팅방, 일명 '거지방'의 방식을 차용, 발전시키기로
했다.

(1) 챌린지. 같은 목표를 가진 사람들과 방을 만들어 기간과 목표를 설정하고 함께 절약한다.

(2) 커뮤니티. "이 물건 살까, 말까?" 고민될 때 투표를 열어 사람들의 의견을 물을 수 있다.

(3) 소비성향 캐릭터. 온보딩의 테스트와 AI 분석을 통한 나의 소비성향을 캐릭터로 보여주며 절약을 돕는다.

위의 요약된 인사이트와 솔루션을 바탕으로 서비스를 브랜딩 했다. '퐁당'은 사용자가 진단받은 자신의 캐릭터와 함께, 또 퐁당의 다른 유저들과 함께 성장해 나가는 절약 서비스입니다. 처음에는 캐릭터의 반쯤 차 있었던 물이, 사용자의 소비 정도에 따라서 캐릭터를 완전히 물에 빠지게 하기도, 보송하게 하기도 한다.

'퐁당'은 그렇게 소비의 웅덩이에 캐릭터가 빠지는 소리를 표현한 의성어입니다. 퐁당! 웅덩이에 빠진 당신, 함께 보송 해져 볼까요?

다섯째,
마무리

엑스포를 이끈 학생의 후기
2024년, 3기 엑스포를 앞두고

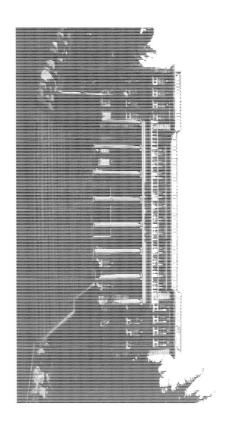

진화할 용기
엑스포를 돌아보며
권민지 Kwon, Minji

계명대학교 미술대학 시각디자인전공 <이끔>
Dept. Visual communication design,
College of fine arts, Keimyung university <Leader>

<u>동아리가 없던 삶</u>

2020년 2월, 2학년을 앞두고 있던 시점에 코로나가 터졌다.
당시 하루 확진자만 만 명이 넘어 외출할 수 없는 철저히
봉쇄된 삶이었다. 하루아침에 바뀌어버린 생활에 적응하는 사이,
얼마 남지 않은 방학은 그렇게 금세 사라지고 말았다.

전면 온라인 수업으로 대체된 환경이 낯설기만 했다. 우리는
실기 위주의 과제와 피드백이 요구되는 디자인과였기에 언제
까지 이런 답답한 생활을 이어가야 할지에 대한 고민은 덤이
었다. 설상가상으로 늘 집에 누워있거나 앉아있으니 좋지 못했던
자세와 생활 패턴 때문에 건강에 이상 신호가 오기 시작했다.

그렇게 반강제적으로 난생 첫 휴학을 하게 되었다. 계획 없이
맞이하게 된 휴학의 삶은 지루하기 그지없었다. 나름 함께
휴학한 동기들과 스터디도 만들고, 공모전도 몇 번 내보았지만

마땅한 성과는 보지 못했다. 그렇게 모든 일에 흥미가 사라질 때쯤, 지독하게 또다시 개강이 찾아왔다.

일 년 전에 비해 많이 완화된 코로나로 인해 학교는 이제 대면 수업을 시작했다. 휴학을 하는 동안 특별히 한 게 없어서 무작정 열심히 살아야 할 것 같았다. 그래서 당장 눈앞에 있는 과제에 집착하며 매일을 밤샘으로 지내왔고, 그 시간과 노력에 대한 보상이라도 받은 듯 1, 2학기 모두 수석을 했다. 집에서는 당연히 너무 좋아했고, 성적 장학금도 나름 쏠쏠했다.

그런데 뭔가 마음 한켠이 찜찜했다. 그제야 주변을 돌아보니 나와 동기였던 친구들은 하나 둘 학교를 벗어나 수도권에서 한 자리씩 하고 있었다. 이를 테면, 전공을 살린 인턴, IT 동아리 같은 것을. 나는 마냥 좋아할 수가 없었고, 도전과 새로운 환경 이라는 것이 필요했다. 하지만 나는 포트폴리오라는 것을 어떻게 만들어야 하는지를 몰랐고, 무엇보다 새로운 것에 대한 용기가 없었다.

그리고 또 무엇보다 나에게는 그러한 걸 알려주는 존재가 없었다.

세상을 알려주는 존재

나의 세상은 너무나 좁았다. 아르바이트와 과제를 병행하기에 바빠 인간관계를 외면했다. 이걸 깨달은 게 2022년 3월이었다. 나는 그때부터 학교의 모든 일에 관심을 갖기 시작했다. 그렇게 학생회 간부 중 하나로 3학년을 시작하게 되었고, 자연스레 늘어난 회식 자리에 일면식도 없던 사람들이 하나 둘 연결 고리가 되어 나의 세상에 들어오기 시작했다.

잔을 부딪치며 선배 중 한 명이 물었다. 지난 수업 때 나를 보았고, 잘한다 생각했다며 학과 과제전 기획을 맡아보지 않겠냐고. 주저 없이 받아들였다. 선배들과 뛰어다니며 전시의 모든 과정을 경험하였고, 나름 성황리에 마무리할 수 있었다. 그러나 인간의 욕심은 끝이 없는 법. 나와 함께 전시를 준비했던 선배들은 과제전을 시작으로 이제야 사람들이 우리 과에 관심을 가지기 시작했던 그 공기의 흐름을 완전히 우리 것으로 만들고 싶어 했다.

그래서 방학부터 약 네 달간 누가 시키지도 않았는데 무작정 동아리 전시를 계획했다. 과제전을 하면서 선배들에게 배웠다면, 동아리전을 하면서는 이런 문화를 이어줄 후배가 필요했다. 그렇게 18학번부터 21학번까지 다양하게 구성된 동아리전 팀이 완성되었다.

짧지만 길었고, 순식간이었지만 강렬했던 2학기가 지나 이제 뭘 해야 할까 싶었다. 그때 갖게 된 동아리 회식. 이제 우리 끼리 해볼 만한 것들은 다 했으니 다른 학교 사람들은 뭘 하고 있는지를 들어보자는 것이 당시 대화 주제였다.

나는 또 고민했다. 그도 그럴 게, 나에게는 같은 전공을 가진 다른 학교 친구들이 없었기 때문이다. 그래서 동아리 멤버들의 연결고리를 적극 이용해 보고자 했다. 그 결과, 2022년 12월 7일

계명대학교 시각디자인과 역사상 첫 연합 동아리 선포식이
진행되었다.

기름종이 같던 삶의 새로운 자극

동아리의 이름, EXPO. 다소 거창한 이름을 가지고 일 년의
여정을 시작했다. 총 5개의 학교에서 8개의 동아리가 모인
첫날, 나는 타 학교 참여자분들에게 왜 우리 동아리에 들게
되었냐고 물었다. 이전 활동 경력도, 성과도, 일면식도 없는
듣도 보도 못한 동아리였기에 어떤 점이 그들에게 어필되었는지
궁금했기 때문이다.

사람들은 다양한 경험을 하며 UX 디자인을 공부하기 어려운
비수도권 환경에서 EXPO가 유일하게 새로운 자극이 되었고,
자연스럽게 다른 사람들은 어떤 생각을 가지고 있는지가 궁금해
졌다고 대답했다. 여기서 내가 동아리를 개설하고자 했던 의도와
정확하게 일치하는 대답을 듣고는 사람을 움직이게 하는 가치는
결국 사람들의 궁극적인 마음이 소통을 하고자 함에 있음을
확실히 인지하였고, 그런 사람들에게 꼭 세상과의 연결 다리를
놔주겠다는 웅장한 생각을 했다.

인간 군상을 마주한 작은 회사, 엑스포

엑스포 총괄이 된 2023년을 두 번째 휴학으로 맞이했다. 꼭
이 동아리 때문만은 아니었지만, 그에 못지않은 마음가짐도 분명

있었다. 동아리를 이끌며 가장 어려웠던 건 모두가 내 마음 같지 않다는 사실이었다. 한 커뮤니티의 리더로서 모든 사람들의 의지를 북돋아 주는 것은 여간 힘든 일이었다.

오프라인 모임이 있는 날이면, 우리가 준비한 내용이 혹여나 지루하진 않을지, 부담스럽게 많은 내용은 아닐지 생각할 것이 한두 가지가 아니었다. 그리고, 다양한 곳에서 모인 사람들 사이에서 서로 다른 가치관으로 인해 발생하는 충돌은 당연했다. 그것을 중재하고 해결하는 것은 오로지 나와 한나의 몫이었고, 그 과정에서 모두의 니즈를 충족시키는 것은 불가능에 가까웠다. 그럼에도 이 동아리를 통해 얻은 것은 보다 큰 사회를 배웠다는 것이다.

다양한 인간상을 마주하면서 어떻게 대처해야 하는지 일 년간 너무나 많이 깨우칠 수 있었다. 지금 와서 생각해 보면, 동아리가 없던 삶의 나는 진화도 하기 전의 유인원과 같았다. 스스로 하나의 사회를 만들고, 그 안에서 다양한 사건과 사람들을 만나며 해결 방법을 찾아가는 과정에서 큰 사회화를 경험했다. 무엇이든 마주하기 전이 가장 두렵다. 도전이 무섭고 별 일인 것 같던 사람들에게 우리는 모두 진화를 앞둔 유인원에 불과할 뿐이라고 말할 것이다.

글을 마치며 엑스포가 이만큼 성장하기까지 결코 총괄들만의 수고가 아님을, 함께 많은 이야기를 나누고 영감을 건네 준 엑스포 1-2기 멤버들에게 감사함을 표하고 싶다.

대구에서
성장을 위한 시작을
이한나 Yi, Hannah

계명대학교 미술대학 시각디자인전공 <이끔>
Dept. Visual communication design,
College of fine arts, Keimyung university <Leader>

<u>나의 마지막 엑스포에게</u>

대학생이 되기 전, 청춘 드라마 등에서 작은 낭망을 키웠던 '동아리'라는 모임을, 심지어 좋아하는 전공과관련한 동아리를, 같은 뜻을 가진 교수님과 선배와 함께 직접 기획해 보고 이끌어 볼 수 있던 시간이 어느덧 1년이 훌쩍 넘었다. 1년이 훌쩍 지나기도 했고 동아리를 마무리하는 단계인지 자연스럽게 우리의 첫 EXPO 탄생기를 가장 먼저 회상하게 되는 것 같다.

때는 2022년 연말, 3학년 2학기를 재학 중인 때, 내가 UX 디자인이라는 분야에서 병아리였지만 처음으로 흥미를 가지고 해당 분야에 호기심 대마왕이 되도록 해 주었던 교내 소규모 UX 스터디인 '욱쓰''가 있었다. 나는 이 동아리에서 UX 디자인에 뜻이 있는 학생들과 협업하며 단기간 많은 성장을 경험할 수 있었다. 이 점은 나뿐만 아니라 같이 스터디에 참여한 모두가 단기간 안에 많은 성장을 했다고 느꼈다. 우리는 이 성공적인 스터디의 마무리를 기념하고 축하하기 위해 첫 회식을 치렀다. 바로 이 자리를 EXPO의 시작점이었다고 소개할 수 있겠다.

욱쓰의 스터디원들은 워낙 스터디 활동에 만족하고, 더 성장한 느낌을 함께 받았던지라, 함께 협업하고 스터디할 수 있는 환경 조성이 얼마나 중요한지 깨달았던 경험에 대한 이야기를 자주 나누고는 했었다. 그렇게 EXPO의 시작점이 된 욱쓰의 회식 자리 에서도 빠지지 않고 이 주제로 한참을 얘기하곤 했었다.

하지만 항상 아쉬움이 남는 게 있었고, 그에 대한 이야기를 나누었다. 우리는 협업을 같은 교내 사람과 함께 스터디와 학교 수업을 통해 이미 많이 경험해 볼 수 있었다. 반복적으로 비슷한 교육을 받은, 혹은 비슷한 환경에 처한 학생들하고만 국한된 환경에서 작업을 해왔던 것이다.

그러다 보니 우리는 자연스럽게, 우리 학교 주변에 있는 대구권 타 대학에서는 'UX 디자인을 하고 싶어 하는 친구가 있는지?', '있다면 어떻게 공부하고 있는지?'가 궁금해졌다. 그러다가 정말 또 자연스럽게 '타 대학 학생들이랑 협업해 보면 정말 재밌겠다'는 아이디어를 권민지 선배가 넌지시 제시해 주었다.

권민지 선배 그리고 교수님께 여기서라도 감사의 인사를 기록 하고 싶다. 이 이야기를 듣자마자 갑자기 너무 재밌는 그림이 머릿속에서 그려지듯 순간적으로 반짝이며, '있었으면 좋겠다'는 말은 했지만, 안 해 본 일을 하기 전 겁이 많은 사람이어서인지 막상 만들 생각은 전혀 하지 않았었던 것 같다.

그렇게 UX 스터디 '욱쓰'에서 얻은 성장, 그리고 당시 UX 공부를 하기에 국한되어 있던 환경에 대한 아쉬움에서 도출된 타 대학생들과의 연합 스터디 아이디어를 마음 한켠에 묻어두고 평소와 같이 학교 과제도 하고, 머리를 식힐 겸 카페에서 빵을 먹으며 커피를 마시고 있던 찰나, 전화가 울렸었는데, 바로 UX 스터디 '욱쓰'를 지도해 주신 교수님의 연락이었다. 단순한 연락이 아닌 대구권 대학생 중심으로 연합 동아리 엑스포를 추진해 보자는 교수님의 감사한 제안이었다.

나는 무언가를 시작하기 직전에 꽤 겁이 있던 타입이어서 먼저 제안 주신 데 감사할 수밖에 없었다. 먼저 제안을 해주시니, 엑스포의 첫 발판이 깔리면서 새로운 시작을 직접 개척해 나갈 수 있었다.

그렇게 소규모 UX 스터디를 지도해 주셨던 교수님과 스터디 리더였던 민지 선배, 그리고 새로운 엑스포의 리더가 된 나까지 연합 동아리 엑스포의 빌딩을 위해 짧은 시간이었지만 좋은 취지의 기획을 진행하며 2022년 12월 UX를 주제로 한 컨퍼런스를 시작으로 엑스포의 공식적인 시작을 알릴 수 있었다.

돌아가서 서두에서 언급했던, 나의 대학교 로망 중 하나였던 '동아리'를 나는 감사하게도 직접 기획해 보고 1년간 총괄해 볼 수도 있었다. 것도 내가 좋아하기 시작했으며, 장래에 직무로 삼고 싶은 UX 디자인을 주제로 하는 동아리를 이끌어 볼 수 있게 되어서 뜻이 깊었다.

동아리 내에서 진행한 프로젝트를 통한 UX 공부도 했지만,

동아리 전체 운영을 하며 동아리를 위한 UX 디자인을 고려하는
과정 안에서도 프로젝트 방식이나 운영 방식을 바꿔보는 실험을
통해 성공과 좌절을 넘나들며 프로젝트 외에도 배운 것도
참으로 많은 것 같다.

또한 분명한 건 우리는 다양한 환경에 있는 학생과 협업할 수
있는 기회를 만들어 진행하는 것을 실제로 경험해 보고 그
가치를 높게 평가하고 있으며, UX 디자인에 뜻이 있는 학생들이
이 기회의 장을 통해 성장할 수 있는 환경을 엑스포 1기, 2기
활동에 이어 앞으로도 쭉 이어가고 싶다.

그렇기에 이제는 애정하는 동아리, EXPO의 3기 활동을 더 큰
추진력과 열정을 가진 멋진 동료들에게 맡기려 한다. 심도 있고,
양질의 성장을 할 수 있을, 우리의 대구 UX 디자인 연합
동아리 엑스포 다음 기수를 응원하며.

처음이었기에 특별했다
한 팀의 멤버가 나눈 담화
김효정 Kim, Hyojeong
최다빈 Choe, Dabin
전우림 Jeon, Woorim

계명대학교 미술대학 시각디자인전공
Dept. Visual communication design,
College of fine arts, Keimyung university

<u>엑스포를 마치고 돌아보며</u>

청년들의 마음을 따뜻하게 만들고, 음성합성 기술을 활용해 우울증으로부터 조금이나마 해소될 수 있는 방법을 찾는 데 도움을 주는 'D.mo'. AI 기술과 음성 합성을 통해 소통하는 새로운 길을 열기를 기대하며, 1기 프로젝트를 진행하였다.

그 시작은 전혀 다른 길을 걷고 있던 계명대학교 학우들이 모여 탄생했어요. 'Expo'라는 연합동아리에서의 우연한 만남이 우리에게 UX에 흥미를 가질 수 있도록 길을 열어주었죠.

처음에는 UX 프로젝트에 대한 경험이 없던 그들이 마음을 모아 도전한 프로젝트는 차츰 성과를 거두게 되었습니다. 한 걸음씩,

노력과 열정으로 쌓아온 것들은 우리의 끈질긴 노력의 결실을
맛볼 수 있었어요.

'엑스포' 컨퍼런스에서 최종 3위를 대표해 발표의 기회를 가지고,
프로젝트를 논문으로 발전시켜 한국디자인학회의 대학생 가을
학술대회에서 구두 발표를 해냈고, 대전 디자인어워드에서
동상을 수상하기까지 했죠.

다소 부족할지도 모르는 우리의 이야기가 다른 학우들에게도
무한한 용기와 열정을 전달할 수 있기를 바랍니다.

**Q. 'Expo'에서 UX 디자인 활동을 시작하게 된 계기는 무엇
인가요?**

다빈 제가 처음 활동을 시작할 때는 '엑스포'가 1기 모집을
할 때이다 보니, 사실 동아리 자체를 보고 활동을 시작한 것은
아니었어요. UX가 무엇인지도 잘 모를 만큼 분야에 대해 무지한
상태였고, '나 UX 할 거야!'가 아니라, 'UX, 그게 뭔데? 나도
해볼래!'하는 마음이 컸던 것 같아요!

또, 학교 수업 이외에 다른 분들과 소통하고 새로운 것을 배워
가고 싶었어요. 학교 수업에서는 같은 수업을 듣는 친구들과
중간, 기말로 나뉘어서 프로젝트를 진행하기에 아무래도 다양한
성향의 사람들과 심도 있는 프로젝트를 하기에는 다소 아쉬운
부분이 있었으니까요. 다행히도 'Expo'를 통해 UX에 대한
관심이 생겼고, 너무 좋은 학우분들을 만나게 되어서 저에게
'엑스포'는 가장 뜻 깊던 활동이 되었어요.

효정 부끄럽지만 사실 엑스포를 시작했을 때 UX가 무엇인지 조차 제대로 알지 못했어요. 무엇이 필요한지, 무엇을 해야 하는지 갈피를 잡지 못하고 있던 시기를 보내고 있던 것 같아요. 마냥 대학생활을 즐기기 바빴었는데 수업을 같이 들었던 동기 한 명이 같이 저를 좋게 봐주어 엑스포에서 팀을 꾸려서 프로젝트를 해보자 제안을 해줬었고, 그 동기 덕분에 큰 고민 없이 덥석 시작부터 할 수 있었던 것 같아요.

뭐라도 하지 않으면 안된다 생각하던 찰나였어서 지금 생각하면 정말 고마워요. 덕분에 함께한 프로젝트로 현재 공모전 수상 및 논문 게재 성과를 얻어내며 현재까지 오게 되었네요.

우림 작년 3학년 2학기 동안 UX/UI 수업과 프로덕트 디자인 수업을 들으면서 UX 분야에 재미를 느꼈어요. 문제에 대해 조사 하고 그와 관련된 현상이나 사람들에 대해 알아가고 파악하는 과정들. 그리고 그에 맞는 디자인을 고려하고 제안하는 것이 너무 재미있었고 저와 잘 맞는다고 느꼈어요. 그때 바로 4학년에 올라가 졸업 작품을 하고 취업준비를 하기에는 제가 이 분야에 대해 이제 막 흥미를 느끼고 무언가를 해보려 했던 입문한지 얼마 안 되었던 상태였기에 부족하다고 느꼈어요.

휴학을 하며 관련 공부와 활동들을 해보자고 결심했어요. 마침 올해 초에 UX 프로젝트를 하는 Expo 동아리가 생긴다고 해서 저에겐 다양한 사람들과 교류하며 프로젝트를 할 수 있는 좋은 기회라고 생각해서 지원했어요.

Q. 'D.mo' 프로젝트를 진행하면서 발생한 어려움을 어떻게 극복했나요?

효정 디모는 아픈 손가락 같은 존재예요. 제대로 진행했던 첫 프로젝트였던 만큼 부족함이 많았고 서툴지만 애정이 듬뿍 들어 갔었죠. 당시 모든 팀에 '알파세대'라는 주제가 공통적으로 주어졌는데, 나아가 세부 주제를 확정하기까지 정말 많은 시간을 소모했던 것 같아요. 팀원들 모두가 프로젝트에 서툴러서 회의를 진행하는 동안 긴 침묵이 이어지기도 했었고 개인의 의견을 서로에게 온전히 전달하는 것, 의견을 조율하는 과정 모두가 어려웠던 기억이 있네요.

저와 팀장을 맡았던 친구와는 회의 때마다 의견 조율 문제로 목소리가 높아지기도 했어요. 이러한 문제 상황 속에서 저희가 선택했던 방법은 '일단 뭐가 됐던 해보자!'였어요. 엉덩이의 힘이라고 아시나요?(웃음) 수업을 들었던 교수님께서 자주 하셨던 말씀인데, 일단 디자인에서 중요한 건 바로 의자에 엉덩이를 붙이고 있는 힘이라고 하시더군요. 저희 디모 팀은 프로젝트를 진행하는 몇 달의 기간 동안 주에 한 번씩은 꼭 정기적인 회의 시간을 가졌어요. 되도록 대면 회의를 하고자 했고, 다들 정말 여건이 마땅치 않을 때는 온라인을 통해서라도 꼭 만났던 것 같아요.

회의를 길게는 4-5시간까지 진행했었고, 당시엔 시간 낭비가 아닐까? 했던 물음이 이제는 꼭 필요한 시간들이었다는 대답으로 돌아오게 되네요. 회의 시간 동안은 서로의 의견에 온전히 집중하고, 파고들며 문제에 대한 명확한 인식과 정의, 그리고 모두에게 납득이 되는 해결책을 도출하도록 끝없이 되돌아봤던 것 같아요. 그 시간 동안 다들 본인도 모르게 성장할 수 있었고, 팀워크도 따라 향상되며 어려움을 극복할 수 있었네요.

Q. UX 디자인에서 중요한 것은 무엇이라고 생각하시나요? 이를 통해 '엑스포'에서의 경험을 어떻게 활용했나요?

다빈 UX 디자인에서 중요한 것은 저는 '공감'이라고 생각해요. '엑스포'에서 진행했던 'D.mo' 프로젝트도 그렇고, 저는 제가 사용자의 입장을 진심으로 '공감'을 시작할 때, 프로젝트 자체에 몰입하게 되더라고요. 많은 분들께서 그러시리라 생각해요. 물론 '공감'에서 시작되어 우리의 생각과 아이디어가 뒷받침될 수 있는 논리적인 근거가 프로젝트의 스토리로서 잘 정리가 되어야 하는 것은 필수적이고요.

이렇게 책에서 저의 이야기를 할 수 있게 해 주신 '장순규 교수님'께서 항상 해주셨던 말인데, 이렇게 써먹게 되네요!(웃음) 'D.mo'는 우울감을 느끼는 청년층을 타깃으로 한 TTS 기반 대화 서비스였기에 종종 우울감을 느끼기도 하는 저의 상황에 많이 비추어보았던 것 같아요. '이렇게 대화가 이루어지면 정말 위로가 될 것 같아!', '내가 듣고 싶은 목소리로 듣는 위로가 더 와닿지 않을까?'하는 공감에서 시작된 생각들을 많이 했죠. 이런 생각을 뒷받침할 수 있는 근거들을 리서치해보고 팀원들과 함께 발전하는 시간을 반복적으로 가졌어요. 이렇게 저는 '공감'을 정말 중요하게 생각하지만 내가 겪어보지 않은 것들도 '공감'할 수 있는 UX 디자이너가 될 수 있도록 앞으로도 다양한 활동을 하고 싶어요.

Q. 'Expo'에서의 경험이 미래의 프로젝트나 활동에 어떻게 반영될 것 같나요?

다빈 '엑스포'는 저에게 UX라는 분야를 좋아하고 더 공부하고 싶은 마음을 가지게 해 준 특별한 연합 동아리에요. 열심히 하는 학우들이 모여 프로젝트를 진행하며 열정이 담긴 작업을 공유하고, 제게 더 큰 열정을 가지게 해 주었어요. 그렇기에 저는 '엑스포'를 시작으로 UX를 앞으로 심도 있게 공부하고 싶어요.

또한 나중에 실무에 나가서는 항상 새로운 사람들은 만나 협업하게 될 텐데, 랜덤으로 팀을 꾸려 새로운 프로젝트를 진행했던 경험이 꼭 도움이 될 거라고 생각해요. 새로운 사람을 만나면 저 또한 새로운 아이디어를 생각해내게 되고, 다양한 의견을 접해본 경험은 앞으로의 프로젝트에 있어서 큰 전환점으로서 작용할 것 같아요.

효정 어딜 가나 Expo에서의 시작을 떠올리며 마음을 다잡을 수 있을 것 같아요. 첫 프로젝트가 Expo에서 이루어지기도 했었고 개인적으로는 저를 UX디자인에 빠지도록 작용해서 큰 의미가 있어요. 활동을 하며 엄청난 무언가를 선보였다기보다는 많이 배우고 얻어가는 경험으로 기억에 남을 것 같아요. 학생의 신분에서 전공 수업시간을 제외하곤 UX/UI팀 프로젝트를 진행할 수 있는 루트가 거의 없어요. 그런 저희에게 Expo는 경험하고 성장할 수 있게 해 준 감사한 존재라고 말하고 싶어요.

우림 '엑스포'를 하면서 UX에 대해 많이 알아가게 되었고 다양한 경험을 했어요. UX에 대한 깊이뿐 아니라 프로젝트를 진행하면서 문제점이 무엇이고 그 문제를 어떻게 해결했는지, 그 과정을 통해서 제안하고자 하는 것이 무엇인지를 어떻게 하면 명확하고 효과적으로 보여줄 수 있을까 고민하며 깨달은

점이 있었어요. 또 한 해 동안 다양한 사람과 함께 총 3가지의 프로젝트를 진행하면서 나는 생각하지 못했던 접근방식이나 의견들을 들으며 시야가 넓어지기도 했고, 팀장도 해보면서 팀원 간에 효과적으로 소통하며 더 좋은 방향으로 프로젝트를 진행하는 것에 대해서도 깨닫게 된 점이 있었어요. 엑스포에서 경험이 초석이 되어 앞으로의 프로젝트나 활동을 할 때 팀원과 더 좋은 방향을 모색하며 탄탄한 프로젝트를 진행하여 효과적으로 전달하는 것에 큰 도움이 될 것 같아요.

Q. 공모전 수상 및 학술대회 발표 후 느낀 감정과 성취감은 어떤가요?

우림 D.mo가 엑스포 첫 프로젝트였음에도 학술대회 발표도 하고 공모전 수상도 하게 되어서 팀원과 열심히 한 성과가 나타나는구나 했고 운도 따라주었다고 생각해요. 디모로 학술대회 발표를 가기 전에 다양한 것을 경험하고 느끼고자 다른 학술대회에 일반 학생으로 간 적이 있어요.

그때 여러 학교 학생들이 자신이 쓴 논문에 대해 설명하고 발표하는 모습에 자극을 받아 나도 다음에는 발표자로 참석하겠다고 다짐했어요. 그래서 디모 프로젝트를 하면서 논문도 작성 해보고 이번에는 발표자로서 학술대회에 참석하게 되었어요.

전에는 발표라고 해봐야 학교에서 과제 발표를 해본게 다여서
준비하면서 조금 긴장되기도 했지만 잘 해야지 라는 생각이
컸던 것 같아요. 학술대회 당일 홍대 건물에 들어가니 뭔가
기분이 색다르고 긴장보다는 설렘이 컸던 것 같아요. 발표를

시작하는데 ppt파일이 갑자기 말을 안 들어서 살짝 당황했지만
잘 해내고 싶다는 생각이 커서 크게 동요하지 않고 발표를
잘 마무리했고 내가 조금 성장 했구나를 느꼈던 것 같아요. 또
학술대회에서 다른 학생들 발표, 실무에 계신 분들 강의를
들으면서 세상은 넓고 아직 나는 많이 부족하다는 것도
느꼈어요. 하지만 그렇기에 내가 앞으로 더 성장할 수 있다는
것과 더 많은 것을 경험하고 알아갈 수 있다는 것에 설렘이
느껴지는 것 같아요.

**Q. 'Expo'에서의 경험이 다른 학생들에게 어떤 영감을 줄 수
있을까요?**

다빈 'Expo'는 수도권에 비해 기회가 많이 없는 지방권 친구들
에게 도전할 수 있도록 도와주는 소중한 수단 중 하나라고 생각
해요. 여기에 더해 열정을 가진 학우들이 모여 있으니, 사실
하지 않을 이유가 없을 없죠. 저희도 'Expo'에서 진행한
프로젝트를 발전시켜 학술대회부터 공모전까지 도전했고,
많은 팀들이 그렇게 좋은 성과를 이룬 것으로 알아요.

'엑스포' 연합 동아리 활동에서 그치는 것이 아니라 더 큰 대외
활동을 하면서, 타지의 학우들에게 대구경북권의 친구들이 분명
눈에 띄었을 것이라고 생각해요. 이렇게 우리도 할 수 있다는

것을 보여주고 함께 성장하는 것 같아요. 이런 모든 과정을 함께
하는 거죠.

효정 엑스포라는 동아리에 대해 처음엔 다들 크게 관심이
없었던 것 같은데, Expo에서 이뤄졌던 프로젝트로 하여금

여러 성과들이 보이기 시작하니 참여도가 높아진 것 같아요.
기분 좋은 변화의 시작이라고 생각해요. 동아리의 중요도와
필요성을 알지 못했던 학생들은 목표 의식을 가지고 시작할 수
있도록 자극이 되었을 것이고, 열심히 하고 싶지만 기회가
없었던 분들에게는 더할 나위 없는 자리이지 않을까요? 기회는
준비된 자에게 주어진다는 말처럼, 엑스포가 모두에게 기회를
잡을 수 있는 도약, 준비 단계로서 작용하길 바래요.

우림 저도 아직 많이 부족하지만 제가 Expo와 함께 UX에 대해
알아가고 성과를 내고 성장을 한 것처럼 다른 분들도 자신이
하고 싶은 것, 목표로 하는 것에 대해 생각해보고 무엇이든 차근
차근 도전한다면 좋은 성과를 낼 수 있을 거라 생각해요. 저는
엑스포를 하기 전 다른 학생들이 논문을 쓰며 학술대회에서
발표하는 것, 공모전에 도전하여 성과를 내는 것, 멤버십에 도전
하여 합격한 모습을 보며 자극을 받아 Expo를 시작했어요.
활동을 하면서 나와 비슷한 목표를 가지고 노력하는 다른
학생을 보며 또 자극을 받고 노력한 것처럼 다른 분들도 엑스포
활동을 통해서 자극을 받고 자신이 성장할 수 있는 계기가
되었으면 해요.

선택과 집중
모두가 빛날 수 있기를 바라며
이서희 Lee, Seohui

계명대학교 미술대학 시각디자인전공
Dept. Visual communication design,
College of fine arts, Keimyung university

흥미의 시작

저는 22년도 첫 수업으로 여신 강의에 참여해서 UX를 처음
접하게 되었습니다. 사실 강의를 들을 때까지만 해도 UX의
개념 자체를 제대로 이해하진 못했습니다. 하지만 당시엔
'2학년은 넓은 경험이 중요하다'는 선배님들의 조언과 일단 뭐든
해보면 공부가 될 것이라는 단순한 열정을 시작으로 여기까지
인연이 닿게 된 것 같습니다.

이후 친구가 제안 한 UX 동아리에 속해 다양한 활동을 하게
되었습니다. 욱쓰의 첫 활동으로 작성 한 논문은 '키오스크가
표준어가 아닌, 사투리를 사용할 경우 사용자들은 어떤 경험과
사용성을 느끼는가'에 대한 연구였습니다. 처음 연구를 시작
했을 땐 말투가 정보전달에 영향을 줄 수 있을지 의구심이
들었습니다. 하지만 사용자들은 지방 특유의 친밀감이 느껴지고
흥미가 유발된다고 응답하였습니다.

사람들은 제 생각보다 새로운 경험에 즐거움을 느끼고 있었고, 저는 이런 즐거운 경험을 설계하는 UX에 대하여 처음으로 '사용자 경험'의 의미를 이해하게 되었습니다. 또 이 경험은 UX에 대한 제 인식을 딱딱한 연구 방법론이 아닌 새로운 접근을 위한 창의적 모색으로 바꾸는 동시에 흥미가 시작된 계기였습니다.

저는 위 연구를 대표 저자로써 2022 가을 대학생 디자인 학술 발표대회에 논문을 투고하였고, 며칠 뒤 합격 통보를 받아 기뻤습니다. 하지만 당시 학교에서 논문을 투고하는 문화가 없었기에, 앞으로 있을 발표 준비는 순전히 제 감에 맡겨야 하여 우여곡절 끝에 준비를 마쳤고, 홍익대학교에서 발표와 질의 응답을 했습니다.

질의응답에는 연구접근 대한 철학적 생각을 바탕으로, 결과의 입지를 굳힌다는 느낌으로 상대방을 설득하는 포지션의 답변을 취했고, 공격적인 질문에는 오히려 부드럽게 웃으며 유연하게 대처했을 때 반응이 좋았던 것 같습니다.

공교롭게도 저는 2022 가을 대학생 디자인 학술발표 대회에서 장려상을 수상하게 되었습니다. 해당 경험을 통해서 수도권은 이미 이러한 경험을 자연스럽게 하고 있었음을 깨달았습니다.

학술대회장에는 정말 많은 사람들이 발표하고 있었지만, 지방에서 상경한 학생은 저희 학우를 포함하여 아주 드물다는 걸 알았습니다. 이러한 상황에서 제가 장려상을 이루어낸 만큼, 지방권 학생들이 해당 학술대회의 존재를 알고 인프라를 접할 수 있다면 꼭 더 큰 성과를 얻어 낼 수 있으리라 생각했습니다.

이후 우리 학교에서는 더 다양한 기회를 열고자 동아리에 새로운 맴버들을 들이고, 연합 동아리인 'expo'가 생기기 시작했습니다. 대구의 교통을 주제로 앱을 개발하기도 하고, 때론 그래픽의 도출 없이 스피커의 반말, 존댓말의 사용자 호감도를 따지기도 하는 등 다양한 디자인 연구를 했습니다.그 과정에서 HCI를 통해 선후배들과 강원 리조트에 방문하여 재미있는 추억도 쌓고, 다른 학교의 논문을 구경하기도 하며 다양한 UX 디자인의 시야를 넓혀 갔습니다.

2023 봄 학술대회, 가을 학술대회에서는 교내 UX 디자인 스터디가 활성화된 분위기가 갖추어지며 주변 학우와 선배들이 수상을 해내거나 지도교수님께서 상을 받는 등 성과를 거두었고, 저 또한 한 학기에 논문을 3개 기재하는 등 많은 수확이 있었습니다. 저는 이 성과를 바라보며 1년 전 더 좋은 성과를 낼 수 있을 것이다 예상한 바람이 헛되지 않았음에 기뻤습니다.

이렇게 활동을 하면서 조선 위인의 컨셉을 한 상담 챗봇을 제공하는 '초롱'이라는 개인 프로젝트를 만들기도 했습니다. 이 프로젝트는 앞서 경험한 내용을 물려주고 싶기에, 후배 3명과 프로젝트에 힘을 더해줄 선배 한 분을 팀으로 구성했습니다. 그렇게 준비한 초롱 프로젝트는 '한국 디자인 전람회'에서 수상하게 되었습니다. 입선이라 소소하지만, 직접 프로젝트를 이끌고 UX 디자인을 조금 더 이해한 뿌듯한 경험이었습니다.

이러한 경험 후에 엑스포에서는 다른 대학의 산업디자인과 학우들과 팀이 되어 프로젝트를 경험했습니다. 시각디자인이 아닌 관점에서 디자인을 바라보는 점이 매우 좋은 경험이었다 생각합니다. 주제는 시각 장애인이 감지할 수 있는 어렴풋한 빛을 활용하여 UI 디자인을 활용하는 방안으로 디자인을 했습니다. 이 작업은 유니버셜 디자인 공모전에서 수상했습니다.

돌이켜보니 1년 간 많은 결과들이 함께 했었습니다. 이처럼 제가 UX 디자인의 길을 걷고, 좋은 성과와 성장할 수 있었던 것은 주변의 조언을 바탕으로 '선택과 집중'을 한 결과라 생각합니다. 저는 1학년 때부터 유난히 열정을 불태운단 평가를 받아왔지만, 실상은 하고 싶은 것에 막무가내로 에너지를 쏟을 뿐이었습니다. 열정이란 건 화력입니다. 화력은 집중되었을 때 비로소 위력을 발휘합니다.

여러분이 하고 싶은 건 무엇인지, 해야 할 것은 무엇인지, 무엇을 잘하고, 무엇을 좋아하는지 시간을 가지고 생각해 보고 미래가 보이는 분야가 있다면 집중해서 불태워주세요. 저의 경우는 UX를 선택했고, 그곳에 열정을 태운 결과로 다양한 경험과 성과를 손에 쥘 수 있었습니다. 여러분도 함께 불 태운다면 지역을 넘어 UX 디자인을 배우고, 성장하는 데 큰 영향을 미칠 것이라 생각합니다.

앞으로 저를 포함 한 주변인과 후배, 우리 모두가 자신의 길에서 빛나길 바라며 글을 마칩니다. 감사합니다.

엑스포 1, 2기를 마치며
새로운 도전의 장이 되길 바라며
이주원 Lee, Juwon

영남대학교 디자인미술대학 시각디자인전공
Dept. Visual communication design,
College of arts, Yeungnam university

<u>도전과 용기를 낼 수 있는 공간</u>

학교 수업에 권태로움이 밀려올 즈음, 나는 엑스포에 합류했다.
3학년이 시작되기 직전이었던 그때는 한창 비수도권의 UX
인프라에 대해 고민이 많았던 시기다. 2022년 1년 동안 연합
IT 동아리에서 활동하며 전국에 있는 학생들을 마주하고 나니,
비수도권의 환경은 아직 개척해야 할 점이 많아 보였다.

이런 고민을 하던 도중 UX 연합 동아리를 대구에서 만든다는
소식을 접했고 이 집단에 들어가면 지금 내가 느끼는 문제가
해결될 것 같았다. 물론 긍정적인 감정만으로 시작한 건 아니다.
여러 학교가 모이는 연합 동아리인 만큼 나의 실력 밑천이
드러나면 어떻게 할지 우스운 걱정도 했었다. 그래도 어찌
하겠는가. 시도도 안 하는 것보단 해보고 망하는 게 낫다고
생각했다. 나는 이 마음가짐으로 엑스포에 지원했다.

172

엑스포에 지원하고 총 3번의 UX 프로젝트에 참여했다. 알파
세대를 주제로 진행한 'OMNI'와 여름 방학 기간에 진행한
SUB 프로젝트 'Pongdang'. 그리고 마지막으로 2023 디자인
트렌드 중 하나인 '인덱스 관계'를 주제로 한 'Scooping'까지.
프로젝트들의 성과에 상관없이 나에게는 모두 많은 배움을
안겨준 팀 작업이었다. 프로젝트마다 느꼈던 점도 다르다.

첫 프로젝트 'OMNI'에서는 팀원들과 가장 많은 대화를 나누었다.
나를 포함한 팀원들이 UX 프로세스에 온전히 익숙지 않았다.
그만큼 직접 찾아보고 서로 깨우치면서 하나하나 함께 완성해
나갔던 프로젝트다. 학기 중에도 밤에 온라인으로 모여 새벽까지
서로의 생각을 말하는 일이 잦았다.

나는 이 과정에서 내 의견을 남에게 전달할 경우에는 명확한
근거가 필요하다는 것을 배웠다. 그리고 질문을 받을 때를 위해
프로젝트의 흐름을 놓치지 않고 내 생각을 잘 정리해 두어야
한다는 것 또한 알게 되었다. 누가 들으면 '당연한 말 아니야?'
할 수도 있겠지만, 이론적으로 당연한 말을 인지하고 있는 것과
이 상황을 직접 겪고 극복해 나가는 과정은 꽤 차이가 있다.
이렇게 진행한 'OMNI' 프로젝트와 5개월은 UX 작업에 대한
단단한 기틀을 만들어 준 의미 있는 기간이었다.

두 번째로 진행했던 'pongdang'은 팀 프로젝트에 대한 인식을
바꾸어 준 작업이었다. 사실 나는 팀 작업을 좋아하는 편이
아니다. '공평'한 걸 중요하게 여기는 사람으로서 항상 더 많은
일을 해내야 했던 상황에 대한 불만이 있었기 때문이다.

'pongdang' 프로젝트에서는 이전과 다른 점이 있었다. 나의 평소 니즈였으나 시도는 못했던 디자인 분야를 다룰 수 있는 팀원이 있었다. 그래서 2D와 3D 디자인 파트를 분리하여 작업을 진행했다. 이 과정이 신선했다. 그동안은 하나의 'A'를 계속해서 디벨롭 시키는 느낌이었다면 이번에는 'A+B'가 되어 새로운 시너지를 냈다. 이때 각자의 강점이 다르고 적절한 분담이 이루어졌을 때, 팀 프로젝트는 가장 효과적인 결과를 낼 수 있다는 것을 깨달았던 것 같다.

마지막 프로젝트인 'Scooping'. 앞선 두 프로젝트를 겪으며 배웠던 것들을 가장 잘 녹여낼 수 있었던 작업이다. 팀 구성이 발표되었을 때 꽤 괜찮은 결과물이 나올 것 같다고 생각했다. 그리고 지금 한국의 UX 프로젝트 중에서 눈에 띄기 위해서는 3D 오브제가 필수 불가결하다고 생각하나, 꼭 그렇지마는 않다는 것을 보여주고 싶었다.

우리 팀은 동아리에서 항상 볼 수 있었던 디자인 스타일이 아니라, 해외의 UI 디자인에 착안하여 진행하기로 했다. 모두의 첫 시도였고, 나는 꽤 재미를 느꼈다. 프로젝트 진행도 체계적으로 꾸준히 나아갔다. 어쩌면 가장 안정적이었다고 볼 수 있다.

이 시점부터 엑스포에 '디렉터' 개념이 생겼는데 아마 이로 인한 영향이 미쳤던 것 같다. 'Scooping'은 본인이 맡은 일을 잘해오는 팀원들 사이, 내게 주어진 시간 동안 최선을 다했던 프로젝트였다. 동아리 활동 동안 8명의 팀원과 함께 하며 다양한 성향을 경험했다. 본인의 생각을 많이 이야기하는 팀원도 있었고 주로 의견을 들으며 팔로잉 성향을 보이는 팀원도 있었다.

물론 모든 팀 프로젝트가 잡음 하나 없이 굴러간다면 이상적
이겠지만 현실은 쉽지 않다. 프로젝트가 엎어진 경우도 있었고
팀원과의 갈등으로 힘들어하던 모습도 봤다. 나 또한 모든 진행
과정에서 힘든 부분이 없었냐고 물었을 때 그렇다고는 못할 것
같다. 다만 우리는 대학생이므로 많은 상황을 경험할 필요가
있고 나는 생각지 못한 상황에 대처하는 법을 배웠다.

지난 활동을 돌이켜보면, 정말 많은 일이 있었다. 1년 전 이맘
때쯤, 2학년을 마치고 난 직후의 나는 비헨스(Behance)에
작업물을 올리는 행위가 부담스러웠다. 그래서 그저 수도권의
다른 학교 학생이 올린 UX 프로젝트들을 보면서 함께 할
팀원이 없다는 사실에 속상했던 것도 같다.

그러나 엑스포를 계기로 내가 하고 싶었던 많은 일을 해낼 수
있었다. 아마도 혼자였다면 용기가 필요했을 것이라 생각한다.

기회와 성과는 의외로 생각지 못한 곳에서 날아온다. 될 것
같던 건 안 되고. 절대 안 될 것 같던 건 또 되고. 짧지 않은
기간이 지난 후 나한테 너무 한계를 묶어두지 말자고 되뇌어
생각했다. 그리고 이 프로젝트들로 얻은 성과는 나 혼자 해낸
일이 아니므로 나와 함께 한 모든 팀원에게 감사를 전한다.

팀 프로젝트는 눈으로 보이는 결과물도 중요하지만, 팀원으로
부터 배움을 얻는 과정 또한 소중하다. 누군가 나로부터 사소
하더라도 좋은 영향을 받았다면 뿌듯하며 EXPO 1, 2기를 마
무리 지을 수 있을 것 같다.

2022년 12월, 계명대학교 소수의 학생이 모여서 준비한 첫 컨퍼런스를 보러 갔다. 대부분의 기억이 사라지고 누가 말 했는지도 잘 모르겠지만 한 학생이 하던 말이 흐릿하게 기억난다.

"내년에는 여러분도 여기 설 수 있습니다!"

아직 지방은 수도권에 비해 디자인 인프라가 부족하고 다른 학교 학생들 간의 네트워크 형성이 약하다. 엑스포와 같은 사례가 많이 생김으로써 앞서 언급한 학생이 말한 것처럼 더 많은 학생이 용기를 내고 다양한 아웃풋을 낼 수 있는 공간이 만들어지길 바란다.

엑스포에서 1년을 마무리하며
노력하고 또 노력할 것
김경욱 Kim, Gyeongwookf

영남대학교 디자인미술대학 시각디자인전공
Dept. Industrial design,
College of arts, Yeungnam university

뜻 깊은 한 해, 그리고 다음

2023년 1월, 친구의 스토리를 통해 엑스포를 알게 되었다. 산업 디자인학과에서 UX 디자인을 공부하며 경험과 역량을 쌓기에는 기회가 적어 힘들었는데, UX디자인에 대한 경험이 필요한 나에게 좋은 발판이 될 수 있을 것만 같았고 자연스럽게 지원을 결정하게 되었다. 그렇게 엑스포에 참가하게 되었다.

첫 프로젝트인 알파프로젝트의 OT 이후, 중간발표까지 열심히 준비했다고 생각했는데, 중간발표에서 내 부족함과 다른 사람들의 대단함이 더욱 크게 느꼈고, 반성도 많이 할 수 있었다. '부족하니까 더 열심히 해야겠다'는 생각으로 시각디자인 분야의 부족함을 깨닫고 시각디자인학과로 복수전공도 하고, 또 발표 역량이나 리더십도 기르기 위해 여러 캠프나 컨퍼런스를 닥치는 대로 참가해보기도 하며 다양한 경험을 쌓기 위해 노력하고 또 노력하는 3학년 1학기를 보냈었다. 학교를 다니면서, 알바를

두 개나 하고, 공모전도 하고, 다른 프로젝트와 스터디도 하며 엑스포까지 병행하려니 힘들어서 매 순간마다 포기하고 싶었지만, 성장하고 싶고 '나는 부족하니까 더 열심히 해야 한다'는 마음가짐과, 매 순간 열정적으로 참여하는 우리 엑스포 멤버들을 보면서 하나하나 끝내고 버티면서 마무리 할 수 있었다. 그렇게 프로젝트 하나하나 마무리해갈 때 마다 다 같이 성장하는 멤버들을 보는 재미도 있었다.

매 순간마다 힘들었지만 하나하나 마무리해가며 얻은 것들은 실력 향상과 프로젝트의 결과물도 있지만, 열정과 책임감, 그리고 소중한 인연들이라 생각한다. 지방에 살면서, 또 산업 디자인을 전공하면서 UX/UI 디자인을 공부하는 나는 영남 대학교 안에서만 활동하고 있었다. 하지만 엑스포 활동을 통해 영남대학교 안에서만 그치는 것이 아닌, 더 넓은 곳에서 다른 학생 디자이너들과 소통하며 디자인에 대해 많은 것들을 얻고 나눌 수 있었다. 엑스포는 그런 모임이기도 하다.

여전히 나는 부족한 사람이지만, 그럼에도 불구하고 어떤 것 이라도 내가 누군가에게 받았던 것들을 줄 수 있는 사람이 되기 위해 노력하고 있다. 엑스포라는 활동은 경험이 부족하고 성장이 필요했던 나에게 정말정말 고마운 활동이자 발판이라고 생각 한다. 앞으로도 나는 멋진 디자이너로 성장하기 위해 노력하고 또 노력할 것이다.

엑스포 3기를 준비하며
더 좋은 경험을 만들기 위해
윤예원 Yoon, Yewon

계명대학교 미술대학 시각디자인전공 <다음 이끔>
Dept. Visual communication design,
College of fine arts, Keimyung university <Next Leader>

새로운 시작

엑스포의 일원으로 달려온 지 어느덧 1년이 지났네요! 지난
일 년 간 일원으로서, 또 부총괄 담당으로서 여러 경험들을 통해
많은 것을 배울 수 있었습니다. 특히나 UX 인프라가 부족한
지방에서 새로운 학교, 학과, 학년의 사람들과의 협업 경험은
저를 여러 방면으로 성장할 수 있도록 도와준 것 같아요.

우선, 지난 일 년 동안 엑스포는 시행착오를 거치며 많은 변화와
성취를 이뤄냈습니다. 다양한 팀원들과 방과 후에 만나 여러
프로젝트를 성공적으로 마무리하고, 콘퍼런스를 통해 다른
팀들의 성과를 배우기도 하고, 여러 사람들과 소통하고 협력하는
법을 배우기도 했습니다. 또한 1-2기 총괄 선배들의 운영 방식을
옆에서 보고 돕고 배우면서 어떻게 하면 더 효과적으로 운영할
수 있을지에 대한 고민도 해보게 되었습니다. 학생들끼리 운영
하는 동아리인 만큼 기획부터 운영까지 직접 해야 하기에,

엑스포로 얻은 경험들이 더욱 소중한 자산이 된 것 같습니다.

이제는 이 경험을 기반으로 내년에도 더욱 좋은 동아리를
만들어 나가고자 합니다. 앞으로도 지속적인 관심과 참여를 부탁
드리며, 함께하는 시간이 의미 있는 경험이 되도록 최선을
다하겠습니다! 감사합니다.

다채로운 다음 엑스포
더 큰 커뮤니티를 위해
김경미 Kim, Gyeongmi

계명대학교 미술대학 시각디자인전공 <다음 이끔>
Dept. Visual communication design,
College of fine arts, Keimyung university <Next Leader>

뜻깊은 한 해, 그리고 다음

2023년 한 해 동안의 엑스포 활동을 돌아보니, 많은 성과와
소중한 경험을 쌓게 된 것 같아 뜻깊었던 시간이라 생각이
듭니다. 지난 활동에서는 알파세대, 프롬프트 그리고 2023
트렌드 키워드의 주제로 진행한 프로젝트들과 2회 차의
컨퍼런스 준비를 했었습니다.

이를 통해 사용자 경험에 대한 통찰력을 키우고, 팀원 간의
협업과 소통의 중요성을 몸소 체험하며 성장하는 기회를 가졌
습니다. 프로젝트 이외에도 1/2기 총괄 선배들 옆에서 2기
활동도 함께 진행 해보면서 무엇을 준비해야 하는지, 어떤 일을
하는지를 옆에서 배워나가며 앞으로 3기 활동을 어떻게 운영
해 나갈 수 있을지에 대해서도 스케치를 해나갈 수 있었습니다.

이번 3기에서는 동아리 내에서의 아이디어, 프로젝트, 그리고 협업이 더 창의적이고 효과적으로 발전할 것임을 기대합니다. 동아리 내에서 더 다양한 시각과 창의적인 방식으로 소통하며, 새로운 도전에 대한 다양하고 풍부한 아이디어를 나누고 이를 실현하기 위해 노력할 것입니다.

우리는 미래의 도전에서 함께 더 큰 성과 및 디자인 여정이 더욱 풍부하고 의미가 있기를 바랍니다. 또한 새로운 아이디어와 역동적인 협업을 통해 엑스포가 더욱 다채롭고, 창의성이 넘치는 활동들을 펼치기를 기대합니다.

새로운 3기가 여러분에게 더 많은 성공과 기쁨을 안겨주길 바라며, 더 나은 디자인 커뮤니티를 만들기 위해 함께 노력하겠습니다. 감사합니다!

끝맺음
청춘의 한 페이지를 기록하며

엑스포 1, 2기를 마치고
The end of 1st and 2nd activity for EXPo

<u>End가 아닌 And로서</u>

청춘이 아름다운 것은 지나간 시간을 떠올릴 때마다 그 시기가
찬란했기 때문이라 한다. 한 번 지나가면 다시 돌아오지 않는
시기가 20대. 한창 놀고 즐길 시기다. 그런 20대 시기에
누구보다 열정을 가지고 자신의 성장에 집중하기 위해서
엑스포에 시간을 쏟았다.

연합 동아리의 형태, UX 디자인 인프라 부족, 서로 다른 대학과
전공. 너무나 불리한 조건들이 가득한 상황을 뒤집어 놓을 만큼
멋진 1년을 보냈다. 고생이 없는 결과에 감정이 없듯, 1년 간
어려운 환경에서 성장하고 배우며, 앞으로 후배들에게 물려줘도
충분할 만큼 시스템을 갖추게 되었다.

이러한 시스템도 열정과 의욕만으로 이뤄졌다 생각하는가. 그건
아니올시다. 세상에 있는 여러 프로페셔널 양성 시스템과 환경,
논문과 책으로 나온 방과 후 활동의 효과. 나름 과학적으로 구성
하고 최대한의 효율과 합리성을 바탕으로 가이드를 만들어가며
노력한 흔적이라 할 수 있겠다. 그 결과, 한국디자인학회 가을
학술대회에서 엑스포의 과정과 만족도를 비수도권에서 UX

디자인을 공부하는 데 도움이 되는 방안으로서 '방과 후 수업'의 한 부분으로서 인정받았다. 그렇기에 우리는 열정과 의욕이란 감성과 과학적인 접근이 만나 1년 동안 큰 열매를 맺은 것이 아니었을까.

이러한 엑스포의 1년을 돌아보면서, 이렇게 글을 남길 수 있다는 점에서 전국의 어느 학교와 지역보다도 멋진 결과를 남겼다고 생각한다. 특히, 서로 다른 환경에서 배운 경험, 지식과 전공이 달라 관점이 다른 부분을 융합하며 성장하는 모습에 박수를 치지 않을 수 있으랴.

그렇기에 내용을 가득 담아 책을 집필하기 시작했다. 2023년의 시간이 청춘의 한 페이지로, 또한 다음에 참여할 후배와 대구 지역의 여러 디자인 전공생에게 자랑스러운 기록이 되길 바란다. 여러분의 지낸 일 년이 멋진 아카이빙으로 되새겨지길.

2023년 12월 31일 일요일

엑스포 시작을 함께했던
장순규, 권민지, 이한나 남김

참조문헌

(1) 강신윤. (2022.3.29) 대구시 산업구조 바뀐다…3차 산업 중심 대도시형 산업구조 재편. 영남경제신문.
https://www.ynenews.kr/news/articleView.html?idxno=31594

(2) 장영훈. (2021, 4.20) '명품 교육도시'로 도약하는 대구 서구. 동아일보.
https://www.donga.com/news/Society/article/all/20210419/106489571/1

(3) 스가노 에리코 저. 박승희 역. (2016). 하버드는 음악으로 인재를 키운다 - 음악을 교양으로 배우는 하버드식 교육. 서울; 양문.

(4) 아르티옴 다신스키 저. 김정혜 역. (2023). 해결할 프로덕트 디자인 이제는 프로덕트 디자인이다. 서울; 길벗.

(5) 문화체육관광부.(2015). 2014 디자인백서. 서울: 한국공예·디자인문화 진흥원.

(6) 박한출, 이동현, 심다은, 문은정, 이양숙. (2015). 2016 산업디자인통계 조사. 경기도 성남: 한국디자인진흥원.

(7) 네이버, 카카오, 라인, 쿠팡, 배달의민족, 당근마켓, 토스를 뜻하는 축약어

(8) 이종욱. (2022). IT업계는 지금 '인재 모시기' 전쟁 중…64.2% "인력 채용 어려움 겪어". (2022.4.18),
https://www.kyongbuk.co.kr/news/articleView.html?idxno=2099679

(9) 양승훈. (2021). "제가 그래도 대학을 나왔는데": 동남권 지방대생의 일경험과 구직. 경제와사회, 131, 10-54.

(10) Mitchell, K. E., Levin, A. S., & Krumboltz, J. D. (1999). Planned happenstance: Constructing unexpected career opportunities. Journal of Counseling & Development, 77(2), 115-124.

(11) 후카사와 나오토 저, 박영춘 역. (2009). 슈퍼노멀 : 평범함 속에 숨겨진 감동. 파주: 안그라픽스.

(12) 최인철. (2016). 프레임 - 나를 바꾸는 심리학의 지혜. 서울: 21 세기북스.

(13) 하라 켄야 저,· 서하나 역. (2023). 저공비행. 파주: 안그라픽스.

(14) 채사장. (2020). 지적 대화를 위한 넓고 얕은 지식 2. 서울: 웨일북.

(15) 마예나, 이성은, 홍슬기, 이지예, 강두혜. (2019). 디자이너 실무능력 양성을 위한 디자인 교육의 방향성 연구 - 시각디자인전공 실무진과 학생들의 니즈를 중심으로. 한국디자인포럼, 24(1), 103-114.

(16) 최장섭, 이상선. (2011). 디자인학부과정의 UXD 교수법 제안. 디지털디자인연구, 11(4), 325-336.

(17) 김영석 (2019). UX 디자인 교수학습법에 따른 학습효과에 관한 연구. 브랜드디자인학연구, 17(4), 19.34.

(18) Günther, J., & Ehrlenspiel, K. (1999). Comparing designers from practice and designers with systematic design education. Design Studies, 20(5), 439-451.

(19) Cross, N. (2004). Expertise in design: An overview. Design Studies, 25(5), 427-441.

(20) 이영선. (2017). 디자인 전문대학에서의 창업교육프로그램 고찰 - 창업 동아리를 중심으로. 한국창업학회지, 12(2), 335-357.

(21) 최기, 김재봉. (2010). 디자인 전공 대학생들의 사회봉사와 연계한 동아리 활동 육성 방안 연구 - 기초수급자 대상 가정 집수리 봉사활동을 중심으로. 디지털디자인연구, 10(3), 53-62.

(22) 이경중, (2019). 전국 대학 태권도 동아리 참여자의 참여동기, 자아 탄력성 및 심리적 웰빙의 관계. 연세대학교 대학원 석사학위논문.

(23) 이재용. (2019). [ZOOM UP : 한국전력기술·도로공사·교통안전공단] 대학 창업동아리 챌린지 개최 : 대구·경북지역 대학 11개 창업동아리 참가 창업 아이디어 경연… 후속 창업활동 지원. Electric Power, 13(9), 64-64.

(24) 고은영. (2020). PBL을 활용한 디자인 수업의 학습효과 연구, 브랜드 디자인학연구, 18(2), 101-110.

(25)이은화. (2008). 대학 교수자의 수업전문성 향상을 목적으로 하는 e-티칭 포트폴리오의 구성요소 탐색, 수 산해양교육연구, 20(2), 236-248.

(26) 이문영. (2021). 경쟁 시스템으로 유지되는 교육도시, 대구. 중등우리교육, 133, 46-53.

(27) 리처드 탈러 저, 박세연 역. (2021). 행동경제학: 마음과 행동을 바꾸는 선택 설계의 힘. 서울: 웅진지식 하우스.

(28) 무라카미 하루키 저, 양윤옥 저. (2016). 직업으로서의 소설가. 서울: 현대문학.